算数の探険　全10巻　解答集

〈目次〉

第１巻　たす ひく かける わる〈解答〉……………… 2
第２巻　いろいろな単位①〈解答〉…………………… 9
第３巻　小数と分数〈解答〉…………………………… 14
第４巻　いろいろな単位②〈解答〉…………………… 24
第５巻　形とあそぼう〈解答〉………………………… 31
第６巻　変身箱の不思議〈解答〉……………………… 42
第７巻　ふく面の算数〈解答〉………………………… 47
第８巻　集合だいすき〈解答〉………………………… 50
第９巻　数は魔術師〈解答〉…………………………… 58
第10巻　数と形のクイズ〈解答〉……………………… 63

日本図書センター

第1巻 たす ひく かける わる
〈解答〉

たしざんの冒険　(P.23～P.30)

〈P.27〉　左からじゅんに

6689　4693　9925　8261　9000　6898　7888
9894　5107

〈P.28〉　左からじゅんに

6641　6991　8809　8044　9310　7001　6019
4611　6901

〈P.30〉　左からじゅんに正しくなおす

8401　2830　正しい　2000　1780

ひきざんの冒険　(P.31～P.45)

〈P.35〉　左からじゅんに

2522　2541　323　5465　2728　5105　1707
2491　1190

〈P.39〉　左からじゅんに

(1段目)　3169　83　3209　2001　1909　5809
4709　899　2099

(2段目)　1409　1525　2399　4859　7027　609
769　5089　999

〈P.40〉　左からじゅんに

9721　1804　6803　4301　1389　7571　4298
8759　2909

〈P.42～43〉

(5)＋8＝13　14＋(86)＝100　5－(4)＝1
(13)＋25＝38　2＋(3)＝5　38－(19)＝19
367＋(879)＝1246　3492－(2645)＝847

〈P.45〉

①15　②16　③60　④55　⑤43　⑥17　⑦36
⑧11　⑨5193　⑩4207　⑪998　⑫8718　⑬2
⑭2460

かけざん－１　(P.46～P.65)

〈P.53〉　左からじゅんに

86　93　48　80　219　368　488　106　180

〈P.55〉

①16こ　②9こ　③15m　④64こ

〈P.56〉　左からじゅんに

84　92　60　92　96　74　98　76　90

〈P.57〉　左からじゅんに

332　384　336　342　140　224　582　240
608

〈P.59〉　左からじゅんに

684　282　699　246　966　128　666　604
800

〈P.60〉　左からじゅんに

375　978　878　872　652　595　678　860
540

〈P.61〉　左からじゅんに

534　1536　1572　2290　5922　4788　7152
2380　3832

〈P.63〉

①96　②90　③56　④18　⑤120　⑥96　⑦252
⑧180　⑨504　⑩1　⑪125　⑫6　⑬32　⑭0

〈P.64〉

1.　①9000　②999　③9000　④6909　⑤9007
　⑥5999　⑦290　⑧576　⑨150

2.　①9906　②7000　③4230　④2169　⑤6992
　⑥0

〈P.65〉

3.　①4400こ　②4393こ

4.　①3815　②6600　③5508　④378　⑤1104
　⑥6146

5.　①16　②11　③91　④98　⑤2345　⑥6010
　⑦999　⑧168　⑨135　⑩120　⑪392　⑫729
　⑬1　⑭0　⑮0

6.　①5588　②2131　③8697　④3499　⑤9000
　⑥9599　⑦6こ

わりざん－１　(P.66～P.103)

〈P.73〉

①2dℓ　②3こ

〈P.79〉

1.　①(式)6÷3＝2　(答)2dℓ
　②(式)6÷2＝3　(答)3人
　③(式)10÷5＝2　(答)2人
　④(式)10÷2＝5　(答)5こ

2.　①(式)8÷2＝4　(答)4人
　②(式)10÷5＝2　(答)2dℓ

〈P.81〉　左からじゅんに

1.　(1段目)　8　3　9　8　4　9　6
　(2段目)　6　3　9　8　7　9　5
　(3段目)　8　9　5　2　9　4　3
　(4段目)　2cm　5cm　8cm　7cm　2cm
　(5段目)　8cm　4cm　3cm　4cm　7cm
　(6段目)　7cm　2cm　7cm　5cm　5cm

2.　①8まい　②6本　③9回　④8か月

〈P.82〉

(サッカーの問題)　8まい

(ユカリの問題)　3こ

〈P.83〉

(ピカットの問題)　8日

(サッカーの問題)　7匹

(ユカリの問題)　8人

〈P.85〉 左からじゅんに

(1段目) 2あまり1　1あまり1　1あまり1
4あまり1　3あまり1　1あまり1
1あまり2　1あまり1　1あまり2

(2段目) 4　3　1　7　1　6　1　1　9

〈P.87〉 左からじゅんに

(1段目) 1あまり1　0あまり8　0あまり1
0あまり2　0あまり1　0あまり3
0　0　0

(2段目) 6あまり1　4あまり1　9あまり1
9あまり2　8あまり3　3あまり3
8あまり2　8　6

(3段目) 8　5　4　9　8　9　7　5　5

〈P.91〉 左からじゅんに

(1段目) 18あまり1　14あまり2　13あまり1
11あまり4

(2段目) 18あまり3　14あまり3　12あまり4
15あまり3

(3段目) 11あまり5　27あまり2　23あまり3
19あまり1

(4段目) 11あまり5　17あまり4　29あまり1
23あまり2

(5段目) 16あまり1　18あまり1　14あまり3
45あまり1

(6段目) 14あまり1　28あまり1　12あまり4
14あまり1

〈P.92〉 左からじゅんに

(1段目) 20あまり2　10あまり4　10あまり2
10あまり8　30あまり2　20あまり3
10あまり4　10あまり5　20あまり1

(2段目) 20あまり1　10あまり2　10　20　10
10　10　20　30

(3段目) 6あまり1　7あまり1　7あまり1
8あまり1　9あまり5　8あまり2
8あまり1　9あまり1　3あまり1

(4段目) 9　8　8　3　4　2　6　7　10

(5段目) 5　0　1あまり2　1　1あまり2
0あまり5　0あまり3　1あまり3　1

(6段目) 23　42　19　12　13　7あまり2
11　11　12あまり2

〈P.96〉 左からじゅんに

(1段目) 150あまり1　187あまり1
121あまり1　127あまり3
115あまり5　174あまり2
122あまり2

(2段目) 225　154　125　230あまり2
341あまり1　211あまり1
111あまり1

(3段目) 320あまり2　140あまり3
121あまり1　420あまり1
130あまり4　230あまり2
430あまり1

〈P.97〉 左からじゅんに

(1段目) 105あまり1　107あまり1
107あまり5　105あまり2
109あまり2　102あまり4
102あまり4

(2段目) 201あまり3　301あまり2
301あまり1　103あまり3

102あまり1　407あまり1　101

(3段目)　103あまり1　102あまり1

306あまり2　103あまり2

202　302　101

〈P.98〉

1.左からじゅんに

(1段目)　400あまり1　100あまり2

100あまり3

(2段目)　100あまり7　100あまり5

100あまり6

(3段目)　200　300　300

(4段目)　400　100　100

2.

```
   126        201        120
4)504      3)603      8)967
  4          6          8
  10           3        16
   8           3        16
   24          0          7
   24                     0
    0                     7
```

〈P.99〉　左からじゅんに

(1段目)　47あまり1　44あまり1

32あまり4　81あまり4

68あまり1　42あまり3

22あまり2

(2段目)　26あまり1　21あまり1

12あまり5　51あまり1

12　17あまり4　35あまり2

(3段目)　22あまり5　32あまり1

32あまり2　32あまり4

33　93あまり1　71あまり2

〈P.100〉　左からじゅんに

(1段目)　82あまり1　41あまり1

31あまり1　30あまり8　51

71　41

(2段目)　30あまり6　60あまり5

70あまり4　90あまり2

40あまり5　90あまり1

91あまり3

(3段目)　80　90　70　30　71　31　80

〈P.101〉　左からじゅんに

(1段目)　4692あまり1　1489あまり1

2484あまり1　1233あまり1

1625あまり4　1341あまり1

(2段目)　2113　1111　1211　3212　1910

1001

(3段目)　1011　801　320　902　331　441

〈P.102〉

333本あまり1本　530時間

〈P.103〉

101本　300こずつで2こあまる　1999かい

1.①39あまり1　②22あまり1　③20

④145あまり1　⑤112あまり5

⑥109あまり1

2.①100あまり4　②200あまり3

③100あまり8　④73　⑤42　⑥83

⑦61あまり2　⑧93あまり1

⑨92あまり1

3.1643かい

大きい数　(P.106～P.121)

〈P.115〉

1.略　2.①9　②6　③2　④0　⑤9　⑥1　⑦1

⑧0　⑨2　⑩8　⑪0　⑫6

3.①8932261854896321　②2186529000

③81500734004　④4100004501

⑤3005000109808　⑥900001800023970

⑦6842835942407562

4.①＞　②＜　③＜　④＝　⑤＜　⑥＞　⑦＜

⑧＞　⑨＜　⑩＞

〈P.116〉

1.左からじゅんに

19090700800　1111111110

881000000000　100000100000

1009532900306　111010050812

2.①1000000000001　②91900000100

③8900000000100

3.左からじゅんに

5188899999　4100420819

2143067219　2720809999

1025899009　10009

4.①9999999999　②99999999

③400018000　④99999100000000

〈P.117〉

5.左からじゅんに

461978395　296349753

239733333　391628395

111111111　578767032

6.①511586172990252　②1260540420543630

7.①49484705088　②3632203236280

③80832563498600　④116110000000008

⑤101007003070704

8.①162644774あまり2　②183996885あまり3

③121131211あまり1　④243234214あまり1

⑤91020910　⑥60507080あまり1

⑦30000021　⑧33333367　⑨30001012

⑩126495789　⑪159635854　⑫82010996

9.①3837こ　②10700人

10.①＞　②＜　③＜　④＝　⑤＞　⑥＞

⑦＞　⑧＝

かけ算－2　(P.122～P.137)

〈P.125〉　左からじゅんに

(1段目)　276　903　308　1056　979　2201

529　1953　5751　924

(2段目)　966　1643　1222　806　624　342

1152　3069　2852　3996

(3段目)　4368　8722　2632　2888　4356

846　720　6006　576　3630

〈P.126〉　正しく計算すると

```
  85       8
 ×48     ×37
 680      56
340      24
4080     296
```

〈P.128〉　左からじゅんに

(1段目)　111941　123024　288648

(2段目)　364783　851466　572692

〈P.129〉　左からじゅんに

(1段目)　30888　79704　421632　163107

287985　140733　95403　424116

(2段目)　281941　429006　272744　12321

217248　838250　690986　197136

〈P.130〉　左からじゅんに

(1段目)　33578　126378　128112　400895

549340　571356　2855658

2131963

(2段目)　13188　10864　5992　50286

70664　29232　9384　11322

〈P.131〉　左からじゅんに

69120　301860　215200　474600　202160

215760　81620　274240

〈P.132〉　左からじゅんに

(1段目)　281373　718688　1964853　7579264

795870　752415　2719920

74863870

(2段目)　1884052　29152144　25916688

44078064　52475316　21014824

57176605　479245554

(3段目)　448256　1167235　3450844

4890144　607466284　582900040

6053468630

〈P.134〉　左からじゅんに

126900　112600　86000　168000　624000

6030000　4080000　980000

〈P.137〉

1.①69360　②345344　③49840　④225120

⑤352000　⑥115200　⑦22250800

⑧5295430　⑨34371546　⑩15011844

⑪78000　⑫0

2.①361000ｍ　②780000円

わり算－2　(P.138～P.157)

〈P.142〉　左からじゅんに

(1段目)　1あまり43　1あまり36

3あまり3　3あまり8

2あまり16　1あまり38

1あまり30

(2段目)　3，3，　5あまり4，5あまり4

3あまり4，2，3

〈P.143〉　左からじゅんに

(1段目)　2あまり25　2あまり26

1あまり17　2あまり13

5あまり6　2あまり13

3あまり8

(2段目)　6あまり4　4あまり9

6あまり4　2あまり10

2あまり8　7あまり6

1あまり15

〈P.144〉　左からじゅんに

(1段目)　7あまり21　8あまり5

3あまり13

(2段目)　8，5あまり1，3

〈P.145〉　左からじゅんに

7あまり23　4あまり24　5あまり28

6あまり44　6あまり19　6あまり37

5あまり22　4あまり25

〈P.146〉　左からじゅんに

(1段目)　9あまり1　9あまり18

8あまり61　9あまり31

(2段目)　9あまり11　9あまり2

8あまり88

〈P.151〉　左からじゅんに

1.27あまり1　14あまり7　16あまり56

61あまり11　28あまり1　36あまり22

20あまり13　7あまり7

2.157あまり4　246あまり12

148あまり36　142あまり38

126あまり37　232あまり29

124あまり6

3.208あまり23　205あまり11

250あまり23　130あまり34　360

200あまり34　400

4.72あまり27　65あまり16　46

21あまり11　30あまり12

90あまり11　10あまり22

〈P.152〉　左からじゅんに

1.(1段目)　589あまり58　1372あまり56

837あまり21　551

2137あまり9　2136あまり5

2767あまり25

(2段目)　800あまり67　1890あまり22

662あまり37　371あまり44

756あまり22　1706あまり29

858あまり38

2.(1段目)　3015あまり3　4003

700あまり25　2030

2003あまり16　3004あまり53

6740あまり9

(2段目)　1325あまり8　405あまり18

2321あまり1　3567

4050あまり3　4523あまり3

4005

〈P.153〉　左からじゅんに

1.(1段目)　129あまり5　245あまり162

45あまり154　1906あまり428

678あまり345　631あまり58

(2段目)　3016あまり64　800あまり71

2523あまり15　1388あまり161

1122あまり566　1967あまり291

2.(1段目)　68あまり119　82あまり247

99あまり198　460あまり87

63あまり642　159あまり334

(2段目)　48あまり9　43

38あまり37　493あまり475

109　403

〈P.155〉

```
         [8] 5               [1][0] 5
[3] ) [2][5][7]        3 ) [3] 1  7
      [2] 4                [3]
           1 [7]                1 [7]
          [1] 5                [1][5]
               2                    2
```

```
          1 [6][0]                  [1] 5
2[7] ) 4 [3][3] 1        [2]3 ) [3] 4 [6]
       [2] 7                    [2] 3
       [1][6] 3                 [1][1][6]
       [1][6][2]                [1][1][5]
             1 [1]                     1
```

〈P.156〉

1．2883かい　2．661かい　3．90台

4．48台　5．126000人　6．6000ページ

7．18819500こ

〈P.157〉

8．58人　9．45人分　10．561円

11．42900円　12．6か月　13．487こ

14．5本

第２巻 いろいろな単位①

〈解答〉

ジュースや水をはかる（P.6～P.31）

〈P.15〉

ユカリ＝ピカット　サッカー＞グーグー

〈P.25〉

１．６dℓ　２．８dℓ　３．５dℓ　４．６dℓ

〈P.28〉

１．３ℓ　５ℓ　85dℓ　99dℓ

２．26dℓ　50dℓ　５ℓ

３．90dℓ　30dℓ　140dℓ　980dℓ　36dℓ　12dℓ
　　92dℓ　47dℓ　15dℓ　119dℓ　63ℓ　499dℓ
　　60dℓ　819dℓ

長さをはかる（P.32～P.41）

〈P.40〉

１．①1594dℓ　②709dℓ　③39032dℓ
　　④12500dℓ　⑤648cmあまり4cm
　　⑥1440cmあまり1cm　⑦7600cm
　　⑧38312cm　⑨58dℓ　⑩98dℓ　⑪76dℓ
　　⑫84dℓ　⑬372cm　⑭4m　⑮798cm
　　⑯302cm

２．①210ℓ

３．①☆ちょくせつくらべる
　　　☆なかだちをつかってくらべる
　　　☆なかだちの単位はさまざま
　　　☆世界じゅうでつかえる単位
　　　コップの１と1ℓの１は，ちがう。

〈P.41〉

4．①9 dℓ　②11 dℓ

5．①3 dℓ　②レモンジュースの方が2dℓおおい。

6．例，9 dℓ－4 dℓのもんだい

台所に9 dℓ入りの油のびんと，4 dℓ入りのしょう油のびんがある。どちらがどれだけおおく入っているか？

はちみつが9 dℓ入っているびんがある。いま4 dℓつかった。残りは何dℓになったか？

おかねをかぞえる（P.42～P.53）

重さをはかろう（P.54～P.77）

〈P.61〉

1．ランドセル＞カバン＞ハンドバック

2．シンデレラ＞キューピー＞リスのぬいぐるみ

〈P.65〉

左からじゅんに

　2kg　3kg　5kg　4kg

〈P.68〉

1．25kg　2．4kg

〈P.71〉

イ，50g　ロ，140g　ハ，190g　ニ，360g

ホ，450g　へ，560g　ト，670g　チ，810g

リ，860g　ヌ，970g

〈P.72〉

1．①25g　②1本 5g

〈P.74〉

1．①7139円　②168円　③3697円

　④208円あまり24円　⑤10000円　⑥9円

　⑦35728円　⑧101円　⑨10000円　⑩1250円

　⑪222円あまり3円　⑫262円あまり10円

　⑬4911円　⑭9円　⑮3000円　⑯121円

　⑰869円　⑱792円　⑲751円

　⑳96円あまり76円

2．①100kg　②101kg　③135kg　④126kg

　⑤128kg　⑥100kg　⑦63kg　⑧84kg

　⑨9999kg　⑩200kg　⑪5kg　⑫56kg

　⑬2001g　⑭75kg　⑮9kg　⑯56kg

　⑰405kg　⑱5kg　⑲10kg　⑳30kg

3．②58050円

〈P.75〉

4．①1人400g，2kg　②32kg

5．②45kg　240cm

〈P.76〉

1．45kg，60kg　2．2kg　3．13kg　4．25kg

5．63kg　6．300m

〈P.77〉

7．略

8．①10mm　②100mm　③100cm　④1000m

　⑤45mm　⑥305cm　⑦150cm　⑧1m

9．①44cm高く，52kg重い　②190km，190000m

面積をはかろう！（P.78～P.109）

〈P.89〉

1．イ，13cm^2　ロ，12cm^2

　イがロより1cm^2ひろい

　イ，18cm^2　ロ，11.5cm^2

　イがロより6.5cm^2ひろい

2．イとホ(6cm^2)　ロとニ(8cm^2)

　ハとへ(7cm^2)

〈P.92〉

1．上から32cm^2　30cm^2

2．100cm^2

〈P.93〉

左からじゅんに　15cm^2　17cm^2　25cm^2

〈P.94〉

1. サッカーが31cm^2　ピカット29.5cm^2

サッカーが1.5cm^{2}かった。

2. 375cm^2

〈P.99〉

1. イ，21cm^2　ロ，20cm^2　ハ，15cm^2

ニ，24cm^2

2. (左)上からじゅんに35cm^2，72cm^2，

135cm^2，100 cm^2

(右)上からじゅんに416cm^2，36cm^2，21cm^2，

3600cm^2

〈P.100〉

3. 144cm^2　288cm^2　400cm^2　15cm^2

〈P.102〉

1. イ，6cm　ロ，20cm　ハ，24cm　ニ，1cm

2. (左)上からじゅんに8cm，128cm^2，7cm，

11cm

(右)上からじゅんに7cm，5cm，3cm，0cm

〈P.106〉

1. ①80000cm^2　②20000*a*　③180000cm^2

④350000cm^2，⑤40000m^2　⑥38000000cm^2

⑦700*ha*　⑧8900*ha*　⑨2300*a*

⑩4200000000cm^2　⑪580000a　⑫380000cm^2

⑬2300m^2　⑭89000000m^2

2. ① 3700 万 *ha*　② 37 億 *a*　③ 3700 億 m^2

④ 3700 兆 cm^2

〈P.109〉

1. ①60　②143　③266

2. ①1738　②18137986　③2795

体積をはかろう！（P.110〜P.133）

〈P.119〉　左からじゅんに3cm^3　7cm^3　8cm^3

〈P.120〉

1. ①35cm^3　②18cm^3　③102 cm^3　④80cm^3

⑤53cm^3　⑥100cm^3　⑦70cm^3　⑧200cm^3

2. 73cm^3

〈P.121〉

1. ①3cm^3　②1cm^3　③19cm^3　④69cm^3

⑤30cm^3　⑥0cm^3　⑦19cm^3　⑧52cm^3

2. 68cm^3

〈P.129〉

1. 190cm^3　609cm^3　300cm^3　600cm^3　600cm^3

350cm^3

2. (左)上からじゅんに783cm^3，704cm^3，9cm，

1cm，200cm^3

(右)上からじゅんに11cm^2，5cm，28cm^3，

38cm^3，3cm^3

〈P.130〉

1. ア，140cm^3　イ，240cm^3　ウ，288cm^3

エ，84cm^3　オ，80cm^3

2. 3cm

〈P.131〉

1. 体積とは，立体のしめる空間の大きさをいい，

容積とは，入れものの中の空間の大きさをいう。

2. 略

3. ①正しい　②水の容積(※※)とはいわず水の体積と

いう。

時間をはかろう！（P.134〜P.175）

〈P.143〉

左からじゅんに，21秒，46秒，33秒，12秒

〈P.147〉

1. 左からじゅんに30分，40分，7分，55分

2. ①1，18　②1，33　③1，39　④1，25

〈P.148〉

1. 32分

2. ①45分　②20分　③59分　④50分　⑤58分

⑥59分　⑦59分　⑧50分　⑨50分　⑩40分

⑪42分　⑫50分

〈P.150〉

1．　左からじゅんに　5時　9時　7時30分

2．　左からじゅんに　2時　5時　9時　11時

3．　①2回　②6時間

③左からじゅんに

1段目[1]時間[18]分，[1]時間[32]分

[1]時間[1]分，[1]時間

2段目[243]分　[222]分　[561]分　[180]分

〈P.155〉

①1時9分＝69分　18時58分＝1138分

24時50分＝1490分　4時20分＝260分

2日4時＝3120分　31日＝44640分

②156分＝2時36分　3245分＝2日6時5分

4820分＝3日8時2分　60分＝1時

1440分＝24時＝1日　10000分＝6日22時40分

5842分＝4日1時22分　80分＝1時20分

〈P.157〉

1．　①6時5分　②3時間

2．　①10時間20分　②6時25分　③12時3分

〈P.159〉

①9時58秒　②20時55分58秒　③7時40分50秒

④13時40秒　⑤9時49分3秒　⑥8時49分2秒

⑦8時11秒　⑧14時41分19秒　⑨6時2分56秒

⑩13時15分56秒　⑪12時1分18秒　⑫10時

⑬6時33分1秒　⑭9時　⑮11時　⑯14時

〈P.163〉

1．　①7時53分11秒　②13時47分54秒

③10時59分　④7時43分　⑤7時58分19秒

⑥9時41分11秒　⑦11時16秒　⑧10時8分2秒

⑨5時51秒　⑩7時　⑪5時21分40秒

⑫8時11分20秒　⑬13時37分47秒

⑭12時49分1秒

2．　①3時21分10秒　②2時3分9秒　③2時17分53秒

④5時12分55秒　⑤2時59秒

⑥1時1分50秒　⑦1時59分57秒　⑧56分

⑨1時51分59秒　⑩11分51秒　⑪1時50秒

⑫3時48分46秒　⑬3時56分36秒

⑭59分59秒

3．　①10時　②5時28分　③12時

④3時18分38秒　⑤58秒　⑥16時24分59秒

〈P.168〉

1．　①9時52分56秒　②8時50分47秒

③5時15分9秒　④4時14分12秒

⑤13時47分21秒　⑥3時53分25秒

⑦3時6分57秒　⑧7時7分51秒

⑨12時21分20秒　⑩13時27分40秒

⑪1時34分37秒　⑫5時28分58秒

⑬13時57分40秒　⑭18時38分30秒

⑮3時23分39秒

2．　①映画館まで38分かかり，映画は3時間25分

②5時59分につくからまにあう。

〈P.174〉

1．　上からじゅんに

10時20秒　11時12分23秒　21時

24時59分37秒　24時

2．　上からじゅんに

3時21分21秒　2時8分59秒　1時59分59秒

6時42分39秒　55分58秒

3．　1日＝86400秒

1月は　30日の時　2592000秒

31日の時　2678400秒

1年は　365日の時　31536000秒

366日の時　31622400秒

4．上からじゅんに　[6]日[1]時，

[11]日[22]時，[1]日[5]時[28]分，

[2]日[6]時[16]分，[1]日[0]時[18]分

〈P.175〉

5．9時間25分

6．40分

7．13分

8．3時間

9．22時間38分

10．4時間15分

11．例①

太郎君は，月ようから水ようまでにテレビを6時間20分見て，木ようから日ようまでは3時間35分見ていたそうです。では，この1週間に太郎君は，何時間何分テレビを見ていたのでしょう？

12．①時こくとは，時の流れのある1点をいい，

時間は，時の流れの長さをいう。

②時計をつかう

ある日，はかせの研究所で…(P.176～P.181)

〈P.178〉

1．①70dℓ　②100cm　③132kg　④162cm^2

⑤180cm^3　⑥160秒　⑦33dℓ　⑧4555cm

⑨82018g　⑩400060cm^2　⑪5000003cm^3

⑫1820秒　⑬4dℓ　⑭128cm　⑮9kg

⑯19cm^2　⑰9cm^3　⑱9秒　⑲358dℓ

⑳290cm　㉑42950g　㉒17分11秒

㉓279990cm^2　㉔4dℓ

2．①38cm　②85kg　③530円　④172g

⑤3600cm^3，2400cm^3　⑥300cm^3

〈P.179〉

3．①900g　②825g　③930g　④965g　⑤840g

4．①18時間15分　②12時

第３巻 小数と分数

〈解答〉

小数ってどんな数？（P.6～P.20）

〈P.12〉〈P.13〉〈P.15〉 略

〈P.20〉

1．ア，0.8　イ，1.6　ウ，2.2　エ，3　オ，3.4

カ，4.1　キ，4.9　ク，0.05　ケ，0.1

コ，0.3　サ，0.45　シ，0.56　ス，0.7

セ，0.95　ソ，1.09　タ，1.29

2．ア，0.001　イ，0.006　ウ，0.009　エ，0.012

オ，0.015　カ，0.018　キ，6.233　ク，6.237

ケ，6.242　コ，6.246　サ，6.249

3．

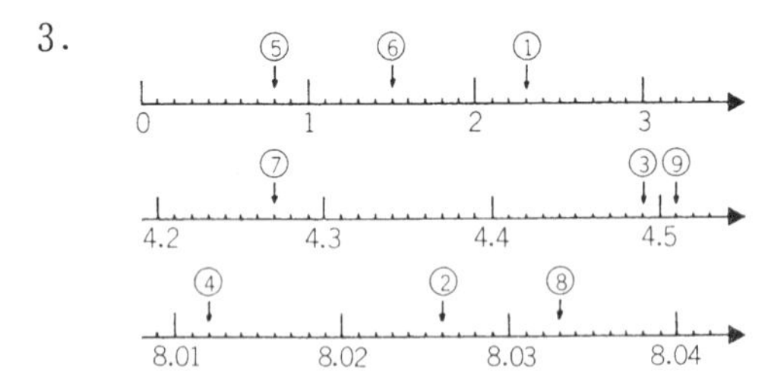

小数のたし算（P.21～P.27）

〈P.23〉

1．7.78　6.28　9.05　10.63　15.15　15.37

2．4.19　8.45　3.75　2.79　9.32　5.85

3．0.54　0.89　0.51　0.15　1.46　1.62

〈P.24〉

1．5.92　11.56　10.21　1.18

2．15.19　5.97　5.18　1.22

〈P.25〉

1．　8.21　14.28　7.49　9.99　4.07　6.2

2．　15.14　8.24　6.05　7.9

〈P.26〉

1．　5.7　4.9　1.3　0.7　4.5　1.2　0.6　0.1

2．　8　8　6　1　1　1　1　7　1

〈P.27〉

①正しい　②まちがい　$\begin{array}{r} 3.46 \\ +2.54 \\ \hline 6.00 \end{array}$　③まちがい　$\begin{array}{r} 4.5 \\ +8.92 \\ \hline 13.42 \end{array}$　④まちがい　$\begin{array}{r} 0.05 \\ +6 \\ \hline 6.05 \end{array}$　⑤正しい

⑥正しい(ただし小数点以下の0を消すこと)。

小数のひき算（P.28～P.34）

〈P.30〉

2.46　0.66　0.08　3.39　0.46　0.21　0.09　4.49

0.96　0.59　0.08　0.58　0.08　0.02　1.8　0.4

〈P.31〉

1．　2.67　5.76　2.74　0.12　0.64　0.08　0.08

9.14　4.36　0.98　0.51　0.38　0.09　0.43

5.3　0.4

2．　0.95kg

〈P.32〉

1．　6　2　1　3　5　1　1

2．　0.74kg

〈P.33〉

1．　2.53　2.61　0.42　7.53　1.39　0.07　4.61

1.15　0.02　3.2　4.1　0.2

2．　1.43　0.57　0.07　5.59　0.06　3.97

〈P.34〉

1．　㋑ $\begin{array}{r} 9.53 \\ -7.86 \\ \hline 1.67 \end{array}$　㋺ $\begin{array}{r} 18.43 \\ -\ 8.49 \\ \hline 9.94 \end{array}$　㋩ $\begin{array}{r} 18.04 \\ -\ 0.56 \\ \hline 17.48 \end{array}$　㋥ $\begin{array}{r} 12.31 \\ -\ 2 \\ \hline 10.31 \end{array}$

㋭ $\begin{array}{r} 1.23 \\ -0.9 \\ \hline 0.33 \end{array}$　㋬ $\begin{array}{r} 28 \\ -\ 3.42 \\ \hline 24.58 \end{array}$　㋣ $\begin{array}{r} 235 \\ -\ 8.71 \\ \hline 226.29 \end{array}$　㋠ $\begin{array}{r} 29 \\ -\ 0.04 \\ \hline 28.96 \end{array}$

㋷ $\begin{array}{r} 4678 \\ -\ 4.678 \\ \hline 4673.322 \end{array}$　㋦ $\begin{array}{r} 1000 \\ -\ 0.08 \\ \hline 99.92 \end{array}$　㋸ $\begin{array}{r} 1000 \\ -\ 10.07 \\ \hline 989.93 \end{array}$

2．　8－7.48＝0.52　　0.52m

3．　76.8－48.25＝28.55　　父が28.55kg重い

4．　10.7－1.85＝8.85　　8.85 ℓ

5．　0.9＋2.15＝3.05　　3.05km

分数ってどんな数？（P.35～P.55）

〈P.39〉

1．　㋑$2\frac{1}{4}$m　　㋺$2\frac{1}{8}$m

2．　㋑$\frac{1}{2}$　　㋺$2\frac{1}{6}$

〈P.43〉

帯分数　$2\frac{3}{8}$　$7\frac{2}{3}$　$3\frac{3}{4}$　$1\frac{1}{5}$　$1\frac{3}{14}$　$10\frac{1}{3}$

真分数　$\frac{8}{9}$　$\frac{5}{7}$　$\frac{12}{13}$　$\frac{1}{11}$　$\frac{1}{10}$　$\frac{9}{38}$

仮分数　$\frac{9}{6}$　$\frac{29}{29}$　$\frac{2}{2}$　$\frac{9}{8}$　$\frac{5}{4}$　$\frac{8}{7}$　$\frac{9}{9}$

〈P.44，P.45〉略

〈P.49〉

1．　$\frac{24}{7}$　$\frac{22}{3}$　$\frac{19}{8}$　$\frac{33}{4}$　$\frac{17}{6}$　$\frac{64}{9}$

2．　7　7　7　24

3．　$5\frac{2}{3}$　5　$1\frac{1}{7}$　$2\frac{3}{5}$　8　$8\frac{5}{6}$　5　$7\frac{1}{2}$

4．　$7\frac{1}{6}$　$7\frac{1}{2}$　$2\frac{2}{5}$　$5\frac{3}{4}$

〈P.51〉

1．　①$\frac{5}{6}$　②$\frac{1}{6}$　③$\frac{3}{6}$　④$\frac{6}{6}$　⑤$\frac{8}{6}$　⑥$\frac{11}{6}$

⑦$\frac{14}{6}$

2．
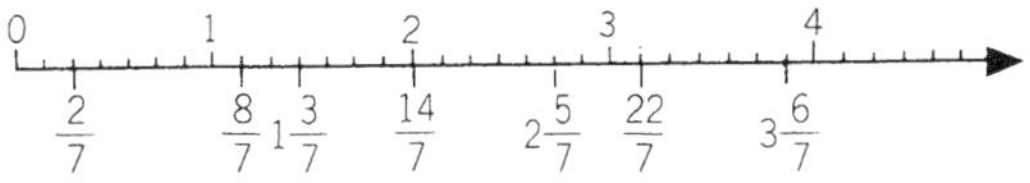

3．　$\left(2\frac{13}{10}>1\frac{17}{10}\right)$　$\left(2\frac{5}{7}>2\frac{3}{7}\right)$　$\left(\frac{1}{2}<\frac{4}{4}\right)$

$\left(\frac{7}{4}>1\right)$　$\left(2\frac{2}{3}>1\frac{2}{3}\right)$　$\left(\frac{12}{8}>1\frac{3}{8}\right)$

$\left(1>\frac{3}{4}\right)$　$\left(\frac{12}{6}<\frac{5}{2}\right)$

〈P.53〉

1．$\frac{1}{2}=\frac{4}{8}$　$\frac{2}{3}=\frac{8}{12}$　$\frac{3}{4}=\frac{12}{16}$　$\frac{2}{5}=\frac{8}{20}$　$\frac{5}{6}=\frac{20}{24}$

$\frac{6}{7}=\frac{24}{28}$　$\frac{11}{12}=\frac{44}{48}$　$\frac{18}{17}=\frac{72}{68}$　$\frac{6}{1}=\frac{24}{4}$

2．$\frac{1}{3}=\frac{8}{24}$　$\frac{5}{6}=\frac{20}{24}$　$\frac{3}{4}=\frac{18}{24}$　$\frac{5}{8}=\frac{15}{24}$　$\frac{7}{12}=\frac{14}{24}$

$\frac{1}{2}=\frac{12}{24}$

3．$\frac{2}{4}=\frac{1}{2}$　$\frac{4}{6}=\frac{2}{3}$　$\frac{6}{8}=\frac{3}{4}$　$\frac{8}{10}=\frac{4}{5}$　$\frac{2}{8}=\frac{1}{4}$

$\frac{10}{12}=\frac{5}{6}$　$\frac{6}{16}=\frac{3}{8}$

〈P.55〉

1．$\frac{1}{4}=\frac{(2)}{8}=\frac{(3)}{12}=\frac{(6)}{24}=\frac{(4)}{16}$　$\frac{3}{7}=\frac{6}{(14)}=\frac{9}{(21)}=\frac{12}{(28)}$

$\frac{5}{9}=\frac{(10)}{18}=\frac{15}{(27)}=\frac{(20)}{36}=\frac{35}{(63)}$　$\frac{2}{5}=\frac{(8)}{20}=\frac{16}{(40)}=\frac{(18)}{45}$

$\frac{24}{36}=\frac{(16)}{24}=\frac{(12)}{18}=\frac{(6)}{9}=\frac{(2)}{3}$　$\frac{16}{20}=\frac{8}{(10)}=\frac{4}{(5)}$

2．$\frac{7}{14}=\frac{1}{2}$　$\frac{21}{35}=\frac{3}{5}$　$\frac{35}{28}=\frac{5}{4}$　$\frac{14}{21}=\frac{2}{3}$　$\frac{42}{63}=\frac{6}{9}$

$\frac{98}{49}=\frac{14}{7}$　$\frac{35}{42}=\frac{5}{6}$　$\frac{28}{7}=\frac{4}{1}$　$\frac{84}{98}=\frac{12}{14}$　$\frac{147}{84}=\frac{21}{12}$

$\frac{7}{147}=\frac{1}{21}$

3．$\frac{8}{12}=\frac{2}{3}$　$\frac{30}{18}=\frac{5}{3}$　$\frac{81}{45}=\frac{9}{5}$　$\frac{70}{105}=\frac{14}{21}$　$\frac{49}{84}=\frac{7}{12}$

$\frac{111}{21}=\frac{37}{7}$　$\frac{195}{91}=\frac{15}{7}$

4．$\frac{4}{8}=\frac{1}{2}$　$\frac{10}{60}=\frac{1}{6}$　$\frac{36}{24}=\frac{3}{2}$　$3\frac{4}{12}=3\frac{1}{3}$

$8\frac{2}{4}=8\frac{1}{2}$　$7\frac{8}{6}=7\frac{4}{3}$　$5\frac{10}{12}=5\frac{5}{6}$

分数のたし算（P.56～P.69）

〈P.58〉

1．$\frac{3}{5}$　$\frac{6}{7}$　$\frac{8}{11}$　$\frac{2}{3}$　$\frac{11}{13}$　$\frac{18}{19}$　$\frac{5}{17}$

2．$\frac{1}{2}$　$\frac{3}{4}$　$\frac{2}{3}$　$\frac{1}{3}$　$\frac{2}{5}$　$\frac{2}{3}$　$\frac{1}{3}$　$\frac{2}{3}$　$\frac{1}{2}$　$\frac{2}{3}$

〈P.60〉

1．$7\frac{3}{5}$　$6\frac{6}{7}$　$7\frac{5}{9}$　$9\frac{10}{13}$　$47\frac{27}{29}$

2．$5\frac{1}{2}$　$9\frac{1}{2}$　$9\frac{2}{3}$　$10\frac{3}{5}$　$60\frac{2}{5}$

3．$10\frac{1}{5}$　$10\frac{4}{11}$　$13\frac{2}{19}$　$9\frac{1}{2}$　$8\frac{1}{2}$　$6\frac{1}{8}$

4．8　6　$50\frac{1}{43}$　$2\frac{4}{5}$　$8\frac{1}{2}$　4

〈P.61〉

1．（ユカリ）　$4\frac{7}{10}+8\frac{5}{10}=12\frac{12}{10}=13\frac{2}{10}=13\frac{1}{5}$

（グーグー）　$6\frac{7}{11}+\frac{8}{11}=6\frac{15}{11}=7\frac{4}{11}$

2．$12\frac{2}{9}+13\frac{8}{9}=26\frac{1}{9}$　　$26\frac{1}{9}\mathrm{m}^2$

3．$3\frac{2}{5}+2\frac{3}{5}=6$　　6kg

4．$2275\frac{6}{7}+3245\frac{4}{7}=5521\frac{3}{7}$　　$5521\frac{3}{7}\mathrm{m}^3$

〈P.63〉

1．$\frac{1}{5}$　$\frac{2}{9}$　$\frac{1}{13}$　$\frac{12}{25}$　$\frac{8}{17}$　$\frac{1}{23}$　$\frac{7}{11}$

2．$\frac{1}{2}$　$\frac{1}{4}$　$\frac{2}{3}$　$\frac{3}{5}$　$\frac{1}{6}$

〈P.65〉

1．$2\frac{3}{5}$　$5\frac{4}{13}$　$2\frac{2}{3}$　$2\frac{1}{4}$　$5\frac{1}{3}$　$1\frac{2}{5}$

2．$1\frac{4}{5}$　$2\frac{3}{7}$　$3\frac{8}{9}$　$6\frac{8}{11}$　$4\frac{7}{13}$　$6\frac{27}{29}$

3．$1\frac{1}{2}$　$1\frac{1}{3}$　$2\frac{2}{3}$　$4\frac{3}{5}$　$4\frac{2}{3}$　$4\frac{6}{7}$　$2\frac{5}{8}$

〈P.66〉

1．$\frac{1}{4}$　$3\frac{1}{5}$　$3\frac{5}{6}$　$4\frac{3}{7}$　$3\frac{3}{8}$　$9\frac{5}{8}$

2．$\frac{4}{7}$　$\frac{1}{3}$　$\frac{1}{4}$　$\frac{1}{2}$　$\frac{1}{13}$

3．$7\frac{11}{13}$　$16\frac{7}{15}$　$1\frac{4}{9}$　$6\frac{6}{17}$　$2\frac{7}{8}$　$\frac{3}{5}$　$\frac{3}{4}$

〈P.67〉

1．$\frac{1}{3}$　$\frac{5}{6}$　$\frac{1}{4}$　$1\frac{2}{3}$　$\frac{1}{6}$　$\frac{1}{4}$　$\frac{2}{3}$　$\frac{1}{3}$　$\frac{1}{2}$

2．$6\frac{1}{3}$　$3\frac{4}{7}$　$6\frac{8}{13}$　$8\frac{1}{2}$　$17\frac{7}{9}$　$4\frac{1}{5}$　$7\frac{2}{3}$　$\frac{1}{3}$

3．$3\frac{1}{4}$　$4\frac{1}{2}$　$\frac{5}{7}$　$\frac{9}{13}$　3　4

4．$6\frac{2}{7}-3\frac{6}{7}=2\frac{3}{7}$　　$2\frac{3}{7}$m

5．$5-2\frac{1}{3}=2\frac{2}{3}$　　$2\frac{2}{3}\ell$

〈P.68〉

1．1）㋺が$\frac{2}{5}$kg重い　　2）㋑が$\frac{1}{5}$kg重い

2．（ユカリ）まちがい　$\frac{2}{4}=\frac{1}{2}$と約分できる

（サッカー）正しい

（ピカット）まちがい　$3\frac{6}{7}$

（グーグー）まちがい　$7\frac{1}{3}$

3．$1\frac{1}{10}-\frac{9}{10}=\frac{1}{5}$　　山田くんが$\frac{1}{5}$m高くとんだ。

4．$5\frac{3}{8}-3\frac{7}{8}=1\frac{1}{2}$　　$1\frac{1}{2}\ell$

5．$2\frac{1}{8}-\frac{3}{8}=1\frac{3}{4}$　　$1\frac{3}{4}$kg

6．$113\frac{3}{5}-89\frac{4}{5}=23\frac{4}{5}$　　Aさんが$23\frac{4}{5}$kg重い

小数のかけ算（P.72～P.85）

〈P.79〉

13.224　28.122　35.206　249.584　547.514　53.94

10.5074　20.3406　4.456374　17.01

〈P.80〉

1．1.172　6.545　3.672　7.76　1.38

2．1.2685　4.3586　1.6254　1.185　3.696

〈P.81〉

1．31.72　5.705　2.18　1.38　52.5

2．14.151　28.674　3.06　7.82　2.52

3．3.1　738　792　117　1

〈P.82〉

1．0.0884　0.0285　0.0814　0.0676　0.08

2．0.0063　0.0084　0.0024　0.006　0.001

3．0.3182　0.4738　0.1137　0.365　0.56

〈P.83〉

1．0.17　0.615　0.42　0.42　0.04

2．0.0048　0.00004　0.0018　0.3　0.1

〈P.85〉

1．185.82　400.91　410.8　63.2　4.2　11.5

63.7　18.4　0.78　0.92　0.4　0.6　78864

2．㋑まちがい　㋺正しい　㋩まちがい

```
  0.89          0.25
×0.09         ×0.24
------        ------
0.0801          1 00
                50
              ------
              0.0600
```

㋥正しい　㋭まちがい

```
   5 00
 ×0.08
 ------
  40.00
```

3．2.4×8.46＝20.304，2.4×0.35＝0.84

20.304kg，0.84kg

4．27.8×12＝333.6　　333.6 ℓ

5．125×23.6＝2950，125×0.8＝100

2950円，100円

小数のわり算（P.86～P.115）

〈P.89〉

3.4　3.8　6.7　34.7　11.3　24.3　8.3　4.4　2.63　4.27　3.4

〈P.97〉

1．3.14　4.8　1.1　3.02　1.8　2.3　1.4　6.8　2.06

2．4.3　1.9　6.2　3.7　2.4　3.1　5.3　6.3　1.1

3．㋑まちがい　㋺まちがい　㋩まちがい

```
      2.7            1300          5.2
3.6)9.72     6.48)842400    4.6)23.92
    72            648           230
    252           1944           92
    252           1944           92
      0              0            0
```

㊁ まちがい

```
        6.7
7.03)47.101
      4218
       4921
       4921
          0
```

4．　3.8m

5．　2.6kg

6．　3.2g

〈P.100〉

7.2　82.1　14.32　196.7　26.1　12.7　115　12.1

1.14　1.54　3　3.6

〈P.101〉

1．6　6　5　6　3　8　2　1

2．2　6　5　3　8　3　9　7

〈P.102〉

0.07　0.03　0.02　0.09　0.05　0.06　0.08　0.07

0.017　0.07

〈P.103〉

0.08　0.06　0.09　0.08　0.2　0.12　0.13　0.02

0.07　0.02　0.01　0.02　0.03　0.04

〈P.104〉

1．5　80　60　50　15

2．60　16　12　5　5　8

〈P.105〉

2.82　0.65　8.4　2.4　1.3　3.6　9.8　8.6　0.05

0.32　0.04　0.01　214　154　401　100

〈P.109〉

1．11あまり2.2　19あまり3.2

1あまり1.1　2あまり4.2　7あまり1.4

2．2あまり2.13　4あまり1.19　2あまり1.51

3あまり1.61　19あまり4.22　24あまり2.39

1あまり1.23　5あまり1.28

〈P.110〉

1．2あまり1.01　25あまり2.03　1あまり1.04

2あまり3.02　1あまり3.01

2．3あまり0.5　11あまり2.1　59あまり0.3

6あまり0.3　9あまり0.53　6あまり0.09

24あまり0.01　7あまり0.03　139あまり0.05

〈P.111〉

1．8あまり0.32　5あまり0.08　7あまり3.09

2．11あまり2.38　7あまり2.7　3あまり7

3．1あまり2.14　2あまり0.48　13あまり0.46

11あまり6.22　3あまり0.24　4あまり0.25

91あまり0.38　4あまり0.403　0あまり0.432

〈P.115〉

1．2.6あまり0.1　56.1あまり0.038

2.0あまり0.34　86.7あまり0.07

3.8あまり0.002　2.0あまり0.05

0.4あまり0.088　16.6あまり0.028

12.2あまり0.024

2．0.50あまり0.006　19.25

0.04あまり0.032　0.20あまり0.005

1.16あまり0.0006　8.88あまり0.0008

4.14あまり0.0026　2.51あまり0.0214

1.28あまり0.0004

3．1.705あまり0.003　1.212あまり0.0066

0.524あまり0.0024　5.103あまり0.00013

0.233あまり0.0001

4．2.35　0.72　0.75　0.1325　6.2

0.625

5．43.2÷2.5　17本あまり0.7m

6．75÷1.8　41ふくろあまり1.2dℓ

7．2000÷2.04　980はこ

8．35÷0.7　50m

およその数（P.116～P.127）

〈P.121〉

1．（1の位）8　8　16　18

（小数第１位）　2.3　5.6　15.3

（小数第２位）　9.46　0.48　0.01

2．（1の位）　8　9　10　1

（小数第1 位）　6.4　8.1　1.0　0.4

（小数第２位）　4.57　0.50　0.01

3．（1の位）　8　8　7　14　1

（小数第１位）　6.7　1.5　66.1　6.0

（小数第２位）　19.89　3.77　4.09

4．（100）　800　4600　5900　79900　7300

（1000）　75000　98000　580000　9983000

（10000）　310000　630000　88000000

5．日本の面積370000km^2

エベレストの高さ8800m

地球の半けい6380000m

太陽の半けい700000km

アジアの面積495000000km^2

木星の半けい71000km

〈P.122〉

1．（小数第１位）　17.2　16.8　257.7　0.3　2.7

4.3　2.1　0.3　3.1　0.3

（小数第２位）　3.02　32.85　64.57　5.48

13.33　6.43　0.89

2．9.73÷6　　1.62m

3．まちがい

```
        2.0              0.2 4 7
        1.9 5      2.9)0.7 1 6 4
   8 3)1 6 2.1           5 8
       8 3              1 3 6
       7 9 1            1 1 6
       7 4 7              2 0 4
         4 4 0            2 0 3
         4 1 5                1
           2 5
```

```
                                1
      1.3 2 4              0.7 0 5
 1.3)1.7 2 2         4.8)3.3 8 5
     1 3                 3 3 6
       4 2                 2 5 0
       3 9                 2 4 0
         3 2                 1 0
         2 6
           6 0
           5 2
             8
```

〈P.125〉

1．64.85　7.85　742.3　0.2　3850　70　1

2．3.15　46.7　0.746　0.0464　0.00347　0.04

0.0003　0.0236

〈P.126〉

1．6.74　67.4　674　76.8　768　7680

2．47.8　36.2　8.3

〈P.127〉

1．82.63　8.263　0.8263　0.0826　0.06529

0.00652　0.00065　65.29

2．0.543　0.03245　0.00097

数の性質（P.128～P.153）

〈P.130〉

1．偶数　4，6，0，8，2，

奇数　9，7，3，1，5

2．18　36　9　0

〈P.132〉

1．略

〈P.133〉

1．13　26　39　52　65　78　91

2．2日　9日　16日　23日　30日

（ただし，２月ならば30日はない）

3．偶数

4．左ページ

〈P.134〉

1．4，8　4＋8＝12　倍数になっている。

2．8，16　16－8＝8　倍数になっている。

〈P.137〉

1．（図略）　1，2，4，8

2．（図略）　1，2，3，4，6，8，12，24

3．1，　2，28，56，14，4，7

4．（16）　1，2，4，8，16　（91）　1，7，13，91

（25）　1，5，25（36）1，2，3，4，6，9，12，

18，36　（17）　1，17　（100）　1，2，4，5，

10，20，25，50，100　（60）　1，2，3，4，

5，6，　10，12，15，20，30，60

〈P.138〉

1．8)40　　4)16

〈P.142〉

1．0，21，42，63，84，105

2．0，12，24

3．36

4．70日目

5．（図略）　15

6．84分後　　8時24分

7．公倍数でないもの　32(4，6)，36(8，14)

8．80

9．5枚か，10枚か，15枚。

〈P.143〉

1．1，2，3，6

〈P.147〉

1．①(92，132)＝4　　②(42，64)＝2

③(684，236)＝4　　④(357，123)＝3

〈P.148〉

1．①(21，28，35)＝7　　②(6，15，21)＝3

③(25，30，45)＝5　　④(68，84，12)＝4

2．16人　かき7こ，くるみ5こ，くり2こ

〈P.152〉

1．

a	b	$a \times b$	$(a,\ b)$	$[a,\ b]$
24	36	864	12	72
55	20	1100	5	220
9	15	135	3	45

2．〔8，10〕＝40　　40秒後

3．A 4回転　B 3回転

4．(24，32)＝8　　32÷8＝4，24÷8＝3

8人，ノート3さつ，えんぴつ4本

分数の通分とたし算・ひき算（P.154～P.163）

〈P.156〉

1．$\left(\frac{15}{24}, \frac{14}{24}\right)$　$\left(\frac{9}{12}, \frac{10}{12}\right)$　$\left(\frac{27}{24}, \frac{52}{24}\right)$

$\left(\frac{8}{18}, \frac{15}{18}\right)$　$\left(\frac{10}{24}, \frac{21}{24}\right)$　$\left(3\frac{28}{36}, 4\frac{21}{36}\right)$

$\left(3\frac{21}{30}, 4\frac{16}{30}\right)$　$\left(\frac{26}{120}, \frac{25}{120}\right)$　$\left(\frac{64}{168}, \frac{51}{168}\right)$

$\left(\frac{20}{72}, \frac{63}{72}\right)$　$\left(\frac{93}{126}, 1\frac{56}{126}\right)$

2．$\left(\frac{12}{20}, \frac{13}{20}\right)$　$\left(\frac{2}{4}, \frac{1}{4}\right)$　$\left(\frac{9}{21}, \frac{16}{21}\right)$

$\left(\frac{17}{24}, \frac{16}{24}\right)$　$\left(7\frac{4}{8}, 5\frac{5}{8}\right)$　$\left(5\frac{11}{18}, \frac{15}{18}\right)$

$\left(\frac{63}{81}, 7\frac{1}{81}\right)$

3．$\left(\frac{8}{12}, \frac{9}{12}\right)$　$\left(\frac{5}{15}, \frac{6}{15}\right)$　$\left(\frac{88}{56}, \frac{77}{56}\right)$

$\left(\frac{24}{30}, \frac{25}{30}\right)$　$\left(\frac{77}{84}, \frac{60}{84}\right)$　$\left(\frac{11}{143}, \frac{117}{143}\right)$

$\left(1\frac{36}{45}, 8\frac{40}{45}\right)$

〈P.157〉

1．$\frac{8}{21}$　$\frac{5}{6}$　$\frac{5}{6}$　$\frac{9}{10}$　$\frac{7}{12}$　$\frac{13}{14}$　$\frac{9}{10}$　$\frac{21}{22}$　$\frac{13}{24}$

$\frac{7}{18}$　$\frac{11}{20}$　$\frac{5}{12}$　$\frac{19}{24}$　$\frac{31}{45}$　$\frac{27}{40}$　$\frac{31}{42}$

2．$\frac{4}{5}$　$\frac{1}{2}$　$\frac{2}{5}$　$\frac{7}{15}$　$\frac{5}{8}$　$\frac{3}{4}$　$\frac{17}{25}$　$\frac{13}{18}$

3．$\frac{17}{20}$　$\frac{19}{24}$　$\frac{25}{28}$　$\frac{7}{12}$　$\frac{11}{15}$　$\frac{35}{36}$　$\frac{31}{40}$　$\frac{17}{18}$

〈P.158〉

1.　$6\frac{5}{6}$　$12\frac{13}{42}$　$12\frac{1}{12}$　$10\frac{9}{14}$　$5\frac{17}{24}$　$12\frac{14}{45}$

2.　$8\frac{3}{4}$　$9\frac{11}{12}$　$15\frac{1}{36}$　$4\frac{5}{12}$　$10\frac{17}{18}$　$8\frac{23}{35}$

3.　$6\frac{9}{14}+9\frac{5}{6}$　　$16\frac{10}{21}\ell$

〈P.159〉

1.　$8\frac{5}{6}$　$15\frac{1}{10}$　$6\frac{5}{12}$　$3\frac{23}{30}$　$6\frac{29}{40}$　$5\frac{23}{36}$

2.　$5\frac{2}{5}$　$6\frac{2}{3}$　$4\frac{2}{3}$　$6\frac{7}{10}$　$5\frac{7}{8}$　$6\frac{7}{12}$

3.　$3\frac{17}{36}$　$3\frac{11}{15}$　$3\frac{23}{40}$　$3\frac{15}{28}$　$9\frac{26}{35}$

〈P.160〉

1.　$\frac{8}{15}$　$\frac{3}{20}$　$\frac{2}{35}$　$\frac{1}{20}$　$\frac{11}{36}$　$\frac{1}{6}$

2.　$\frac{1}{5}$　$\frac{1}{2}$　$\frac{2}{5}$　$\frac{1}{6}$　$\frac{3}{8}$　$\frac{1}{4}$

3.　$\frac{5}{12}$　$\frac{1}{20}$　$\frac{7}{24}$　$\frac{17}{28}$　$\frac{5}{36}$　$\frac{1}{18}$

〈P.161〉

1.　$1\frac{4}{15}$　$4\frac{20}{21}$　$3\frac{5}{6}$　$2\frac{37}{42}$　$3\frac{29}{30}$　$2\frac{5}{12}$　$5\frac{23}{24}$　$4\frac{29}{30}$

　$3\frac{13}{24}$　$3\frac{5}{6}$

2.　$3\frac{2}{3}$　$2\frac{8}{9}$　$3\frac{6}{7}$　$3\frac{3}{8}$　$3\frac{7}{9}$　$2\frac{9}{14}$　$1\frac{17}{35}$　$3\frac{7}{12}$

　$4\frac{13}{20}$　$4\frac{13}{21}$

〈P.162〉

1.　$3\frac{3}{10}$　$3\frac{19}{35}$　$3\frac{5}{6}$　$1\frac{1}{20}$　$2\frac{1}{24}$　$2\frac{2}{45}$

2.　$3\frac{1}{3}$　$2\frac{5}{9}$　$1\frac{11}{24}$　$8\frac{9}{20}$　$2\frac{1}{18}$　$5\frac{3}{16}$

3.　$3\frac{13}{56}$　$1\frac{7}{30}$　$5\frac{1}{12}$　$8\frac{3}{14}$　$1\frac{13}{35}$　$1\frac{1}{6}$

4.　$2\frac{4}{15}$　$7\frac{7}{10}$　$8\frac{3}{16}$　$3\frac{3}{10}$　$2\frac{82}{91}$　$\frac{9}{20}$　$\frac{11}{14}$

〈P.163〉

1.　①$4\frac{5}{11}\rightarrow5\frac{1}{28}$　②$1\frac{10}{18}=1\frac{1}{9}\rightarrow1\frac{32}{115}$

　③$\frac{7}{12}+8\frac{4}{12}=8\frac{11}{12}\rightarrow\frac{7}{12}+2\frac{4}{12}=2\frac{11}{12}$

　④$7\frac{13}{16}-1\frac{1}{4}=7\frac{13}{16}-1\frac{4}{16}=6\frac{9}{16}$

2.　（式）$1\frac{5}{6}+9\frac{13}{14}$　　（答）$11\frac{16}{21}$dℓ

3.　（式）$13\frac{3}{8}-3\frac{4}{5}$　　（答）$9\frac{23}{40}\,a$

4.　（式）$4\frac{2}{3}+6\frac{3}{10}$　　（答）$10\frac{29}{30}$kg

5.　（式）$1\frac{5}{8}-\frac{11}{12}$　　（答）$\frac{17}{24}$m

6.　（式）$2\frac{1}{4}-1\frac{5}{6}$　　（答）$\frac{5}{12}$t

7.　（式）$\frac{7}{9}+5\frac{3}{4}$　　（答）$6\frac{19}{36}\ell$

8.　（式）$21\frac{2}{5}-9\frac{3}{7}$　　（答）$11\frac{34}{35}\mathrm{cm}^3$

9.　（式）$6\frac{1}{3}-3$　　（答）$3\frac{1}{3}\ell$おおい

小数と分数の関係（P.164〜P.171）

〈P.167〉

1.　㋑$\frac{3}{7}$　㋺5÷6　㋩$\frac{1}{(7)}=(1)\div7$　㊁$\frac{(4)}{9}=4\div(9)$

2.　㋑$\frac{5}{6}\ell$　㋺$1\frac{2}{7}\ell$　㋩$\frac{1}{6}$dℓ　㊁$2\frac{2}{3}$dℓ

　㋭$\frac{7}{8}$cm　㋬$1\frac{1}{3}$cm　㋣$1\frac{1}{5}$m　㋠$\frac{2}{7}$m　㋷$\frac{4}{9}$g

　㋦$2\frac{2}{5}$g　㋸$\frac{5}{9}$kg　㋾$3\frac{1}{4}$kg　㋻$\frac{6}{7}$　㋕$\frac{1}{3}$

　㋵$3\frac{1}{3}$　㋟$3\frac{1}{2}$　㋹$\frac{8}{9}$　㋞$\frac{1}{13}$

3.　$4\frac{2}{3}$mずつ

4.　$3\frac{1}{6}$g

〈P.169〉

1.　㋑0.5（有限小数）　㋺$0.8\dot{3}$（無限小数）

　㋩$0.\dot{1}5384\dot{6}$（無限小数）

　㊁1.175（有限小数）　㋭1.875（有限小数）

　㋬$0.\dot{7}\dot{2}$（無限小数）　㋣$2.\dot{1}4285\dot{7}$（無限小数）

　㋠2.25（有限小数）

2.　略

〈P.171〉

1．$1.3=1\frac{3}{10}$　$2.6=2\frac{3}{5}$　$3.12=3\frac{3}{25}$

$0.94=\frac{47}{50}$　$1.283=1\frac{283}{1000}$

$10.567=10\frac{567}{1000}$　$2.043=2\frac{43}{1000}$

$1.009=1\frac{9}{1000}$　$0.005=\frac{1}{200}$

2．$\frac{24}{35}$　$\frac{23}{70}$　$4\frac{7}{30}$　$1\frac{1}{6}$　$\frac{39}{70}$　$6\frac{43}{75}$　$1\frac{19}{35}$　$\frac{98}{225}$

$1\frac{13}{15}$　$\frac{14}{15}$　$\frac{11}{30}$　$\frac{43}{160}$

3．$3\frac{4}{7}-2.7$　となりの家のねこが$\frac{61}{70}$kg大きい。

4．(式)$1\frac{5}{6}+0.8$　(答)$2\frac{19}{30}$km

分数のかけ算（P.172～P.180）

〈P.175〉

① $\frac{14}{15}$　$2\frac{26}{35}$　$1\frac{29}{48}$　$\frac{8}{143}$　$\frac{3}{20}$　$\frac{4}{9}$

② $\frac{5}{18}$　$\frac{8}{35}$(正しい)　$3\frac{17}{27}$

〈P.176〉

$4\frac{1}{12}$　$8\frac{1}{4}$　$\frac{14}{25}$　$\frac{16}{21}$　$\frac{57}{217}$　$\frac{9}{34}$　$7\frac{1}{3}$　$\frac{6}{19}$　$\frac{2}{27}$　$\frac{28}{81}$

$\frac{2}{11}$　$\frac{9}{13}$

〈P.177〉

$4\frac{1}{6}$　$\frac{1}{6}$　$\frac{2}{15}$　$3\frac{3}{4}$　$2\frac{2}{5}$　$7\frac{1}{2}$　$\frac{1}{3}$　$1\frac{1}{4}$　12　6

35　1

〈P.178〉

$3\frac{5}{9}$　$7\frac{1}{3}$　$3\frac{1}{2}$　40　$2\frac{2}{7}$　$1\frac{3}{8}$　$\frac{2}{5}$　20　$\frac{9}{35}$

〈P.179〉

$16\frac{11}{12}$　$7\frac{41}{48}$　$7\frac{7}{8}$　$1\frac{32}{45}$　$6\frac{2}{33}$　$13\frac{1}{5}$　$18\frac{4}{7}$　$25\frac{2}{3}$

$13\frac{1}{3}$　$15\frac{1}{6}$　$2\frac{1}{4}$　$3\frac{1}{2}$

〈P.180〉

1．⑥6　4　35　②$1\frac{13}{14}$　$1\frac{11}{15}$　$2\frac{4}{5}$　③$\frac{5}{6}$　$\frac{2}{21}$

$\frac{29}{32}$　④2　4　3　⑤$8\frac{1}{3}$　$9\frac{1}{3}$　$14\frac{2}{3}$　$13\frac{1}{5}$

⑥$3\frac{1}{3}$　$1\frac{5}{7}$　$1\frac{3}{5}$　$3\frac{3}{4}$　⑦2　3　5　1

2．(式)$1\frac{1}{2}\times10\frac{2}{3}$　(答)16 dℓ

(式)$1\frac{1}{2}\times3\frac{1}{4}$　(答)$4\frac{7}{8}$ dℓ

(式)$1\frac{1}{2}\times\frac{3}{8}$　(答)$\frac{9}{16}$ dℓ

(式)$1\frac{1}{2}\times5$　(答)$7\frac{1}{2}$ dℓ

3．(式)$2\frac{1}{3}\times3\frac{2}{7}$　(答)$7\frac{2}{3}$$m^2$

4．(式)$320\times5\frac{3}{4}$　(答)1840円

5．(式)$25\frac{1}{2}\times4\frac{2}{3}$　(答)119cm^3

分数のわり算（P.181～P.197）

〈P.184〉

$\frac{20}{21}$　$\frac{35}{36}$　$\frac{18}{35}$　$1\frac{11}{45}$　$1\frac{1}{35}$　$\frac{10}{63}$　$\frac{20}{21}$　$\frac{15}{16}$　$\frac{14}{195}$　$1\frac{19}{36}$

$\frac{2}{3}$　$2\frac{1}{4}$　$\frac{2}{121}$　$\frac{24}{65}$　$\frac{20}{21}$　$\frac{9}{16}$

〈P.185〉

$1\frac{9}{11}$　$1\frac{1}{9}$　$\frac{7}{52}$　$4\frac{1}{5}$　$\frac{2}{9}$　$\frac{28}{45}$　$\frac{4}{21}$　$1\frac{23}{40}$　$\frac{7}{12}$　$\frac{5}{44}$

$1\frac{12}{65}$　$\frac{5}{27}$

〈P.186〉

$3\frac{1}{3}$　$1\frac{1}{3}$　$\frac{3}{5}$　$\frac{2}{9}$　$\frac{16}{35}$　$\frac{3}{7}$　$1\frac{2}{3}$　$\frac{7}{8}$　$\frac{15}{56}$　$2\frac{1}{2}$

10　10　12　1　$1\frac{1}{3}$

〈P.187〉

$\frac{5}{84}$　$\frac{3}{28}$　$\frac{4}{9}$　$\frac{2}{9}$　$\frac{2}{7}$　$6\frac{2}{3}$　$7\frac{1}{2}$　$5\frac{1}{3}$　9　$1\frac{1}{7}$

$\frac{1}{2}$　$\frac{4}{5}$　2　$\frac{5}{9}$　8　1

〈P.188〉

$1\frac{51}{104}$　$1\frac{16}{65}$　$\frac{32}{91}$　$3\frac{41}{48}$　$1\frac{7}{38}$　$4\frac{12}{13}$　$1\frac{1}{2}$　$1\frac{1}{3}$

$1\frac{1}{14}$　$\frac{44}{51}$　$3\frac{3}{4}$　$\frac{1}{2}$

〈P.189〉

1．$\frac{52}{69}$　$\frac{5}{9}$　$\frac{4}{5}$　$2\frac{1}{23}$　$2\frac{1}{11}$　6

2．$2\frac{6}{7}$　$4\frac{1}{5}$　$2\frac{1}{2}$　3　6　10

3．$1\frac{2}{15}$　$\frac{11}{20}$　$\frac{7}{12}$　$4\frac{1}{6}$　$\frac{7}{9}$　$\frac{2}{3}$　2　2　$\frac{3}{4}$　9

$19\frac{1}{2}$　$7\frac{2}{3}$

4．(式)$6\frac{5}{7}\div 3\frac{2}{7}$　　(答)$2\frac{1}{23}$dℓ

〈P.190〉

$\frac{8}{3}$　$\frac{3}{7}$　$\frac{9}{10}$　$\frac{23}{21}$　14　6　$\frac{1}{5}$　$\frac{1}{3}$　1　$\frac{10}{23}$　$\frac{10}{61}$

$\frac{10}{57}$　$\frac{10}{3}$　$\frac{10}{7}$　$\frac{100}{231}$　100　$\frac{100}{9}$

〈P.191〉

1．(式)　$32\frac{1}{2}\div 4\frac{2}{3}$　　(答)$6\frac{27}{28}$kg

2．(式)$16\div 1\frac{3}{5}$　　(答)10人

3．(式)$18\div \frac{2}{3}$　　(答)27本

4．(式)$1\frac{1}{20}\div \frac{3}{4}$　　(答)$1\frac{2}{5}$m

〈P.193〉

$\frac{9}{16}$　$\frac{5}{12}$　$\frac{5}{8}$　$1\frac{1}{6}$　$\frac{200}{231}$　$7\frac{73}{275}$　$\frac{44}{147}$　$\frac{15}{64}$

$\frac{9}{10}$　$5\frac{307}{416}$

〈P.194〉

$\frac{3}{56}$　$\frac{81}{680}$　$\frac{2}{41}$　$\frac{4}{15}$　$316\frac{4}{5}$　$6\frac{1}{4}$　$\frac{5}{1344}$　$\frac{75}{544}$

$\frac{1}{2}$　$3\frac{11}{23}$

〈P.195〉

$\frac{14}{25}$　$\frac{3}{7}$　$7\frac{1}{5}$　$2\frac{1}{5}$　$\frac{5}{8}$　$\frac{10}{27}$　$2\frac{2}{25}$　$\frac{9}{100}$　$\frac{63}{200}$

$\frac{1}{40}$　$7\frac{1}{2}$　$2\frac{1}{7}$

〈P.197〉

1．$1\frac{7}{10}$　$2\frac{41}{150}$　$\frac{1}{25}$　$8\frac{8}{35}$　$3\frac{8}{15}$　$3\frac{59}{90}$　$3\frac{4}{35}$　6

2．(式)$\frac{4}{9}\times\frac{3}{5}-\frac{1}{8}\times\frac{2}{5}$　　(答)$\frac{13}{60}$m^2

3．(式)$35\times 2\frac{2}{3}+40\times 3\frac{1}{4}$　　(答)$223\frac{1}{3}$円

4．(式)$\frac{17}{6}\times 3.6\div 2$　　(答)$5\frac{1}{10}$m^2

第4巻 いろいろな単位②

〈解答〉

プラットホームでこみぐあいの研究（P.8～P.13）

〈P.11〉

8時間45分発の電車が，1両あたり132人でいちばんこんでいる。すいているのは8時10分発の電車で，1両あたり75人。

麦畑でどれだけとれたかの研究（P.14～P.19）

〈P.17〉

(順に)日本，40，アメリカ，日本，西ドイツ，イギリス，フランス，アメリカ，32，5

〈P.19〉

1．（大山）3.2t/*ha*，（青木）3t/*ha*

2．200kg/*ha*

3．*A*…241kg/*ha*，*B*…240kg/*ha*，
C…250kg/*ha*

金属の重さくらべ（P.22～P.25）

<P.22> 表の解答⇒この冊子の30ページ参照。

〈P.24〉

1．北海道…4.33万t，秋田…5.50万t，栃木…3.73万t，新潟…6.00万t，鹿児島…3.44万t
（小数第3位を四捨五入）

2．銅…8.9g/cm^3，鉄…7.86g/cm^3

3．0.065ℓ/km

4．鈴木…0.14ℓ/m^2，青山…0.14ℓ/m^2，
山田…0.18ℓ/m^2（小数第3位を四捨五入）

5．3.15t/*ha*

6．1968年はうるう年なので，366日である。
813000人÷366日＝2221.31人/日

小数点以下を四捨五入すると，各年は次の表のようになる。

1967年	1968年	1969年	1970年
1784人/日	2221人/日	2729人/日	2732人/日

7．①(例)ガソリン3.5ℓで49km走る自動車があります。この自動車は，1ℓのガソリンでは何km

走ることができますか？

②(例)$3\frac{1}{3}m^2$で1860円の布があります。この布1 m^2のねだんはいくらですか？

③(例)19m^2のへいをぬるのに，1.14 ℓのペンキを使いました。1 m^2あたり何ℓのペンキを使ったことになりますか？

全体の量をもとめよう（P.26～P.31）

〈P.28〉

1．8.75 t，10 t，1.25 t

2．鉄…26.724g，亜鉛…107.512g，いおう…1.656 g，水銀…$4\frac{8}{15}$g

3．69.43kg

〈P.31〉

1．741.6g

2．もなか…350カロリー，ようかん…362.5カロリー，ウエハース…612.5カロリー，あんぱん…325カロリー，カステラ…400カロリー

3．それぞれ，7.2kg，10.8kg，48kgになる。

いくら分をもとめよう（P.32～P.43）

〈P.37〉

ミクロの問題　55cm

〈P.39〉

グーグーの計算はまちがっている。正しい答えは，ブタ肉…8.3kg，タマネギ…23.53kg，ジャガイモ…20.97kg，ニンジン…8kg（小数第3位を四捨五入）

〈P.40，P.41〉

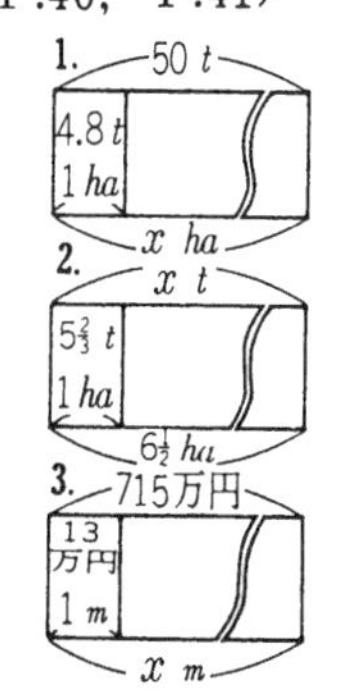

$50t \div 4.8t/ha = 10.41\dot{6}ha$

答　10.42ha

$5\frac{2}{3}t/ha \times 6\frac{1}{2}ha = 36\frac{5}{6}t$

答　$36\frac{5}{6}$t

715万円÷13万円/m＝55m

答　55m

〈P.42，P.43〉

1．小数第1位を四捨五入すると，それぞれの1 km^2あたりの人口は，宮城県…250人，東京都…5328人，埼玉県…1018人，長野県…144人，奈良県…252人，大分県…183人

2．北海道…90.3万t，青森県…44.8万t，新潟県…82.8万t，京都府…12.87万t，高知県…8.99万t，長崎県…10.15万t

3．小数第2位を四捨五入すると，ガラス…3.5cm^3，竹…39.4cm^3，石油…50cm^3，ナイロン…5cm^3，雪…120cm^3，セメント…5.1cm^3

4．(2)〈例〉千葉県には1万*ha*あたり2.43万tの麦がとれる畑が2.6万*ha*ある。何万tの麦がとれるか？

(3)〈例〉1 gあたり3.5円のお茶を175円買った。何g買ったか？

(4)〈例〉27cm^3の大理石の重さをはかったところ，75.6gあった。この大理石の1 cm^3あたりの重さは何gか？

(5)〈例〉ある農家では，畑1 *a*あたり800gの農薬をまくことになった。この農家の畑は全体で13 *a*ある。農薬は何g必要か？

(6)〈例〉じゃがいもを385円買った。このじゃがいもは1 kgあたり110円である。何kg買ったのか？

食品工場でおいしさの研究をした（P.44～P.57）

〈P.48〉

1．(1)*A*のほうがこい　(2)*B*のほうがこい

(3)*C*は0.625g/dℓ，*D*は0.571g/dℓだから*C*のほうがこい

2．0.02g/mℓ

3．　0.0625g/mℓ

〈P.49〉

1．　5g/dℓ

2．　0.002g/dℓ

〈P.51〉 ピカットの薬の計算は正しい。

1．　1mg

2．　10mg

〈P.53〉

1．　9.375mℓ

2．　15mℓ

3．　6dℓ

〈P.55〉

ピカットのジュース　48dℓ

マクロのジュース　　24dℓ

〈P.56〉

ユカリの問題

1．　たんぱく質……0.015g/mℓ，脂肪…0.003g/mℓ，糖分…0.145g/mℓ，灰分…0.092g/mℓ，カルシウム…0.33mg/mℓ，鉄…0.042mg/mℓ

2．　水…0.534g/mℓ，たんぱく質…0.04g/mℓ，脂肪…0.421g/mℓ，糖分…0.007g/mℓ，灰分…0.024g/mℓ

グーグーの問題

1．　メントール…43.2mg，サリチル酸メチル…48mg，生ゴム…240mg，樹脂…220.8mg，植物油…62.4mg

2．　36mg

サッカーの問題

1．　20mℓ，120mℓ

2．　800mℓ

ピカットの問題

(1) 〈例〉あるジュース180mℓにふくまれるビタミンCの量は700mgです。このジュースの1mℓ中には何gのビタミンCがふくまれていますか？

(2) 〈例〉85mg/mℓのぶどう糖をふくんだ注射液があります。この注射液150mℓには，何gのぶどう糖がふくまれていますか？

(3) 〈例〉5.5mg/dℓのこさの食塩水をつくるのに，食塩を30g使いました。何dℓの食塩水をつくったのですか？

探険隊の魚つり〈平均の研究〉（P.58～P.74）

〈P.61〉

1．　3.5dℓ

2．　3.1dℓ

3．　15dℓ

〈P.64〉

1．　3.5dℓ

2．　(180mℓ×3＋0mℓ×1)÷4＝135mℓ

〈P.66〉

1．　170cm

2．　38.5本つんだことになる。

〈P.67〉

1．　3びき

〈P.68〉

1．　7dℓ

2．　(1)$0.\dot{6}$個　(2)1個　(3)Cのにわとりの1日平均が$1.\dot{6}$個で1番多い。

3．　8個

4．　のりおのグループ…1.8ぴき/人，となり町の学校のグループ…1.6ぴき/人。

〈P.69〉

1．　(400円×2＋40円×6)÷28＝37.1
　1人分のバス代は，38円ということになる。

〈P.72〉

1．よしお君のグループ…$5.\dot{3}$本/人，さちこさんのグループ…5本/人。

あたりやすさの研究〈確率〉（P.78）

1．偶数は6枚，奇数は7枚なので，奇数をひく確率のほうが大きい。

2．A～Eを不等号でならべてみると……

$$C > B > A > D > E$$

〈P.82〉

ピカットの問題

1．ババをひく確率…$\frac{1}{53}$，Aをひく確率…$\frac{4}{53}$
Aをひく確率のほうが大きい。

2．10より大きいカードは8枚。確率は$\frac{4}{13}$

3．$\frac{1}{12}$

サッカーの問題

1．1から6までの偶数の数と奇数の数は同じ。確率は同じになる。

2．1から6の数のうちで，4に加えると偶数になるのは，2，4，6の3つ。確率は$\frac{1}{2}$

3．1つめに6が出る確率は$\frac{1}{6}$。2つとも6が出る確率は，$\frac{1}{6}\times\frac{1}{6}=\frac{1}{36}$

ユカリの問題

1．赤い玉をとる確率…$\frac{10}{13}$，白い玉をとる確率…$\frac{3}{13}$

2．箱にのこっている玉は，全部で12個，この中から白い玉をとる確率は$\frac{3}{12}(=\frac{1}{4})$

3．赤い玉…$\frac{9}{11}$，白い玉…$\frac{2}{11}$

ふくまれている量を考える（P.83～P.103）

〈P.87〉

グーグーの問題　水分…0.475g/g，たんぱく質…0.168g/g，脂肪…0.069g/g，糖分…0.136g/g，カルシウム…1.15mg/g，鉄分…0.04mg/g

マクロの問題　水分…0.94g/g，たんぱく質…0.004g/g，糖分…0.052g/g，脂肪…0.001g/g

ピカットの問題　鉛…0.67g/g，スズ…0.33g/g

サッカーの問題　水分…0.75g/g，たんぱく質…0.127g/g，脂肪…0.112g/g，灰分…0.011g/g，カルシウム…0.65mg/g，リン…2.3mg/g

〈P.90〉

グーグーの問題

1．0.7g

2．

全体の食塩水の量	20g	150g	4kg	$14\frac{1}{4}$kg
食塩水1g中の食塩の量	0.3g	0.01g	0.03g	$\frac{1}{2}$g
全体の食塩水にふくまれている食塩の量	6g	1.5g	0.12kg	$7\frac{1}{8}$kg

所長の問題　　1．200mg　　2．37.2g

<P.93> ピカットの問題　アブラナは200kg

〈P.94〉

1．小数第1位を四捨五入すると，北極海…200t，地中海…143t，ハドソン湾…625t，ペルシャ湾…135t，ベーリング海…167t

2．A…25g，B…60g，C…20g，D…72g

<P.98> クロム0.18kg/kg，ニッケル0.08kg/kg

〈P.99〉

超々ジュラルミンの成分　銅…20g/kg，亜鉛…80g/kg，マグネシウム…15g/kg，マンガン…2g/kg，クロム…2g/kg，アルミニウム…881g/kg

カスタードプディングの材料　たまご…0.24g/g（小数第3位を四捨五入），さとう…0.15g/g，牛乳…0.57g/g，バター…0.04g/g（小数第3位を四捨五入）

ドライミルクの成分　小数第3位を四捨五入すると，たんぱく質…0.13g/g，脂肪…0.2g/g，炭水化物…0.65g/g，灰分…0.03g/g

〈P.101〉グーグーの計算はまちがい。

じゃり 200kg，水 200kg

〈P.102〉

1．0.08g/g(小数第3位を四捨五入)

2．0.02g/g　　3．2.6g　　4．14.4g

5．$28.\dot{3}$g　　6．200g

〈P.103〉

1．小数第3位を四捨五入すると，かんてん…0.02g/g，さとう…0.23g/g，なまあん…0.28g/g，塩…0.01g/g

2．セメント…310g/kg，砂…460g/kg，水…230g/kg

3．(1)〈例〉ドロップのおもな成分は糖分で，8g中に7.8gふくまれています。ドロップ1g中には糖分は何gふくまれていますか？

(2)〈例〉ニクロム1g中には，0.8gのニッケルがふくまれています。150gのニクロムには何gのニッケルがふくまれていますか？

(3)〈例〉チーズは0.3g/gの脂肪をふくんでいます。5.4gの脂肪をとるには，何gのチーズを必要としますか？

速さの研究（P.104～P.117）

〈P.112〉

ピカットの問題

1．$316.\dot{3}\dot{6}$km/時

2．8km/時

ユカリの問題

1．20km/時

2．$14.\dot{6}$km/時

サッカーの問題

1．1.25km/分

2．72km/時

グーグーの問題

1．45km/時

2．48km/時

〈P.113〉

1．3600km

2．$26.\dot{6}$km

3．25km

〈P.114〉

1．14970万km

2．3060m

3．2380m

〈P.115〉

無公害車は372Km走るのに4.65時間(4時間39分)かかる。

1．36分

2．3.5時間

〈P.116〉

1．2.21時間(小数第3位を四捨五入)

2．$2\frac{1}{3}$秒

3．18.75分

〈P.117〉

マクロの問題　表のあいたところの上から順に，1時間55分12秒，1000km，2時間30分，$21.\dot{3}$km，52.5km，22分30秒，1950km，60km，45km，5時間56分15秒，4時間55分，972000万km

(1)〈例〉あるかたつむりは20分で90cm進みます。1分で何cm進むでしょう？

(2)〈例〉時速180kmで走るひかり号は，3時間10分では何km進むでしょうか？

(3)〈例〉しそ鳥を見た人はいませんが，時速5kmの速さで飛ぶとして，18km進むには何時間かかるでしょうか？

どれだけ仕事をしたかの研究（P.118～P.133）

〈P.120〉

1．　1時間あたりの仕事量を計算すると，Aは$2.\dot{3}$ m^2/時，Bは2.1m^2/時，Cは2.375m^2/時，Dは2.448m^2/時となる。

(1)Aのほうが速い。(2)Cのほうが速い。

(3)Dのほうが速い。

2．　187.5字

〈P.121〉

1．　43.5m^2

2．　21535000台

3．　60時間50分

4．　3.15m^3

〈P.122〉

1．　28日

2．　16日

3．　28.5時間

4．　45時間

〈P.123〉

1．　1200分（＝20時間）

2．　$14\frac{2}{7}$分

〈P.125〉

1．　$\frac{1}{3}$分（＝20秒）

2．　6分

3．　35分

4．　朝の10時0分

〈P.126〉

くつ屋さんの問題

1．　4日

2．　$2\frac{1}{3}$足

洋服屋さんの問題

1．　8日

2．　16.2時間

ペンキ屋さんの問題

1．　16.5m^2

2．　12個

時計屋さんの問題

1．　1.25分（1分15秒）

2．　28分

3．　夜中の12時

〈P.129〉

ユカリの問題　$12\frac{28}{81}$時間

サッカーの問題　$4\frac{22}{57}$分

ピカットの問題　$4\frac{22}{57}$時間

〈P.131〉

マクロの問題　240円

ミクロの問題　270円

グーグーの問題　62.5円

〈P.132，P.133〉

ユカリの問題

1．　$2.0\dot{6}$t

2．　1664kg

3．　4200m^2

ピカットの問題

1．　$0.\dot{1}$g

2．　0.0016g（＝1.6mg）

3．　50㎖

サッカーの問題

1．　90㎖

2．　2個

3．　28円

グーグーの問題

1．　$\frac{1}{2}$

2．　あたりやすさの順は，

$C>D>A>B>E$

マクロの問題

1． 0.36g $\left(\frac{18g}{18g+32g}=0.36g/g\right)$

2． $25m^3$

3． 87.5km，24分

ミクロの問題

1． $3.\dot{6}\dot{3}m^2$

2． $3.9m^3$

3． 56時間15分

博士の問題

1． 10秒　※4分＝240秒

2． 105秒(1分45秒)

3． 夜10時

※ ⇒〈P.22〉表の解答

金属の密度をもとめる表のなかで，本文に示されていない解答は次のとおり。

プラチナ…21.3 g/㎤，ウラン…18.7 g/㎤

銀…10.7 g/㎤，亜鉛…7.1 g/㎤

第５巻 形とあそぼう

〈解答〉

ボクのお母さんはどこ？(方眼)（P.6～P.17）

〈P.9〉

1.　下の図のようになります。

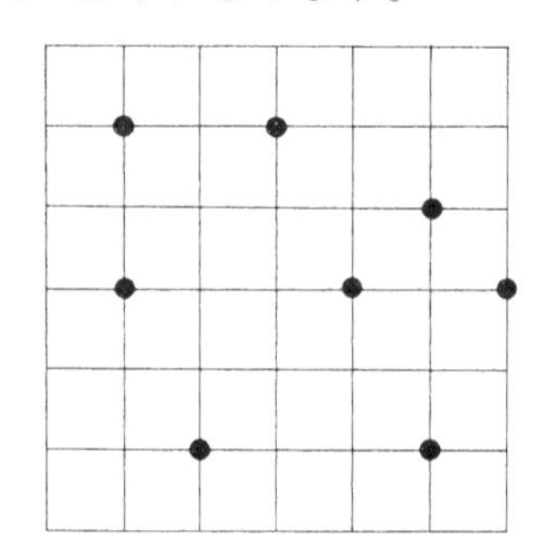

2.　下の図のようになります。

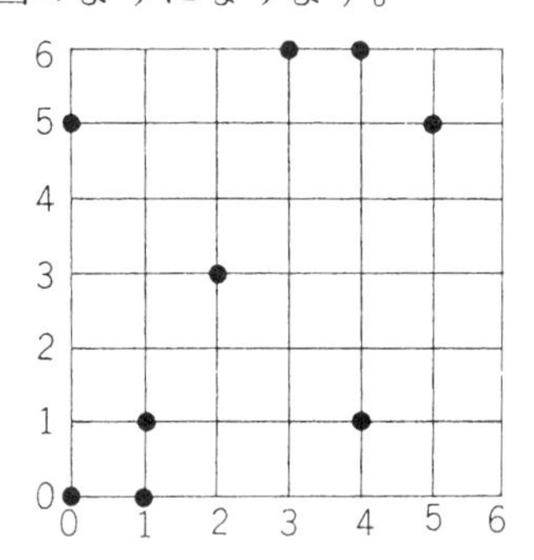

グーグーへのでんぽう：わたしもサーカスにいくよ。

方眼と直線（P.14）

〈P.14〉

オウムのもんだい1　下の図のようになります。

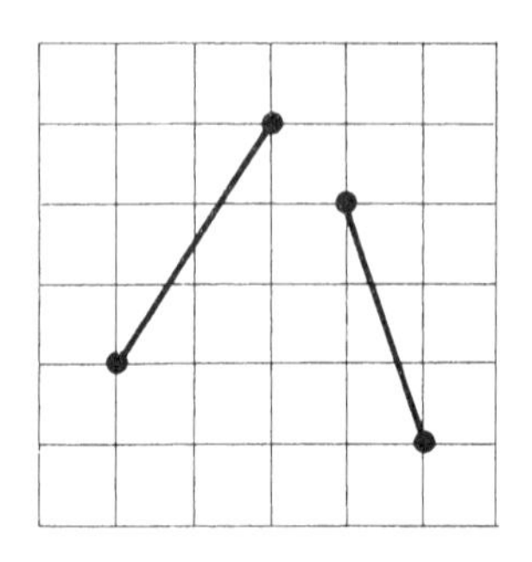

オウムのもんだい2　下の図のようになります。

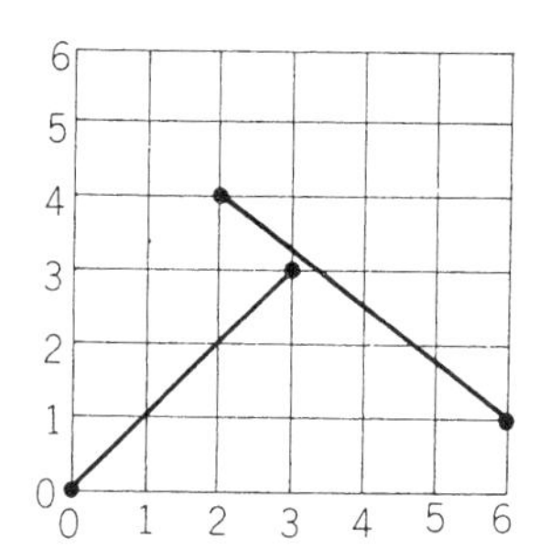

オウムのもんだい3　左の直線から順に，(1，5)と(2，2)，(3，1)と(4，5)，(5，5)と(6，3)

下の図のようになります。

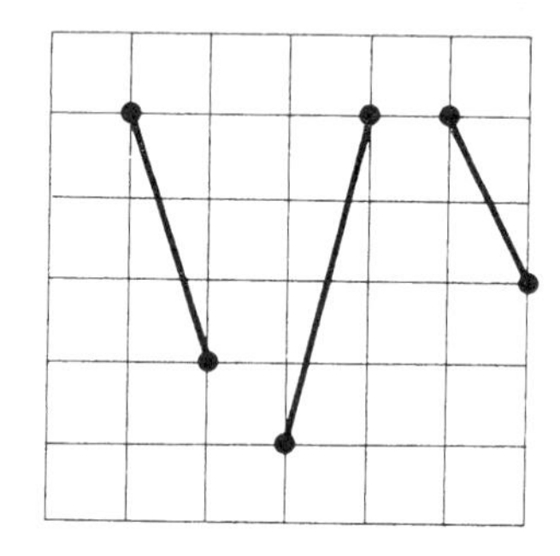

にげた動物はどこだ？（P.15）

〈P.15〉

にげた動物は，アシカです。

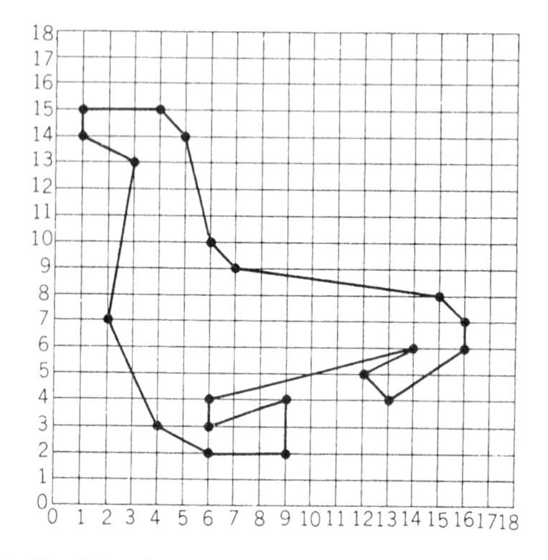

折れ線（P.16）

〈P.17〉　略

角と角度（P.18～P.41）

角の大きさをくらべる（P.20）

〈P.22〉

中，左，右の角の順に大きい。

角の目もり（P.23）

〈P.24〉

左の角のほうが大きい。

角をはかろう（P.28）

〈P.28〉

左の角から順に，66°，75°，33°，80°，140°

〈P.29〉

しるしのついている角のうちでは，えい角が18，どん角が10あります。

〈P.30〉　略

角度の計算（P.32）

〈P.32〉　左から順に

47°，82°，73°

〈P.33〉　左から順に

51°，38°，72°

方角（P.34）

〈P.35〉

橋……北から西へ47°，ゆうびん局……北から西へ148°，駅……北から東へ65°，小学校……北から東へ90°

平行と角（P.42～P.55）

ノッポのピエロ（P.44）

〈P.45〉

1．左から順に，$x=50^\circ$，$x=90^\circ$，$x=70^\circ$

2．左から順に，$x=63^\circ$，($x=60^\circ$，$y=75^\circ$)（$x=35^\circ$，$y=145^\circ$）

平行（P.48）

〈P.51〉

1．左の直線から順に，(右に３，上に５)，(右に４，上に３)，(右に３，上に１)，(右に９，上に２)，(右に２，上に５)，(右に３，上に５)　両はしの直線(右に３，上に５)が平行。

2．それぞれの点をとおって，右に４，上に３，または，左に４，下に３いったところをとおる直線をかけば，もとの直線と平行になります。

3．略

平行と角（P.52）

〈P.54〉

1．左から順に，($x=70^\circ$，$y=110^\circ$)，($x=87^\circ$，$y=87^\circ$)，$x=90^\circ$

2．左から順に，平行(100°の補角と80°が反位角でひとしい)，平行でない(反位角がひとしくない)，平行(反位角がひとしい)

折れ線と多角形（P.56～P.73）

折れ線を式で書くと（P.58）

〈P.58〉

左の折れ線から順に，

●6cm―$\overset{\frown}{140^\circ}$―5cm―$\overset{\frown}{130^\circ}$―5cm

●3cm―$\overset{\frown}{85^\circ}$―8cm―$\overset{\frown}{110^\circ}$―5cm

●5cm―$\overset{\frown}{90^\circ}$―4cm―$\overset{\frown}{65^\circ}$―2cm―$\overset{\frown}{120^\circ}$―5cm

空飛ぶ円ばんの折れ線（P.59）

〈P.59〉

∞—$\overset{\curvearrowright}{115^\circ}$—3cm—$\overset{\curvearrowleft}{115^\circ}$—11cm—$\overset{\curvearrowright}{68^\circ}$—6cm

いろいろな直線（P.60）

〈P.61〉

1．Ⓐ∞—$\overset{\curvearrowright}{115^\circ}$—4cm—$\overset{\curvearrowleft}{83^\circ}$—5cm

Ⓑ9cm—$\overset{\curvearrowright}{125^\circ}$—4cm—$\overset{\curvearrowleft}{75^\circ}$—5cm—$\overset{\curvearrowright}{105^\circ}$—6cm

Ⓒ11cm—$\overset{\curvearrowright}{135^\circ}$—10cm—$\overset{\curvearrowright}{87^\circ}$—4cm

Ⓓ∞—$\overset{\curvearrowleft}{145^\circ}$—9cm—$\overset{\curvearrowright}{113^\circ}$—8cm—$\overset{\curvearrowleft}{120^\circ}$—7cm

Ⓔ8cm—$\overset{\curvearrowright}{83^\circ}$—7cm—$\overset{\curvearrowright}{40^\circ}$—6cm—$\overset{\curvearrowleft}{100^\circ}$—5cm

Ⓕ∞—$\overset{\curvearrowright}{85^\circ}$—4cm—$\overset{\curvearrowright}{70^\circ}$—1cm—$\overset{\curvearrowleft}{93^\circ}$—2cm

—$\overset{\curvearrowleft}{58^\circ}$—9cm—$\overset{\curvearrowright}{80^\circ}$—10cm—$\overset{\curvearrowleft}{105^\circ}$—4cm

2．ⓐ「折れ線ABCD」「3 cm，右45°，5 cm，左120°，3 cm」 ⓑ「折れ線ABCDE」「2 m，左60°，8 m，右105°，15m，右30°，4 m」 ⓒ「折れ線XABC」「半直線，右50°，35m，左60°，40m」

3．ⓐ√ *XABC*→∞—$\overset{\curvearrowleft}{45^\circ}$—3cm—$\overset{\curvearrowright}{70^\circ}$—5cm

ⓑ√ *ABCDE*→ 10cm—$\overset{\curvearrowright}{10^\circ}$—2cm—$\overset{\curvearrowright}{30^\circ}$

—7cm—$\overset{\curvearrowleft}{60^\circ}$—3cm

辺角表から折れ線（P.62）

〈P.62〉 略

〈P.63〉

辺角表のとおりに進んでいくと，次の図のようになって，宝物はワニの口のまえにあります。

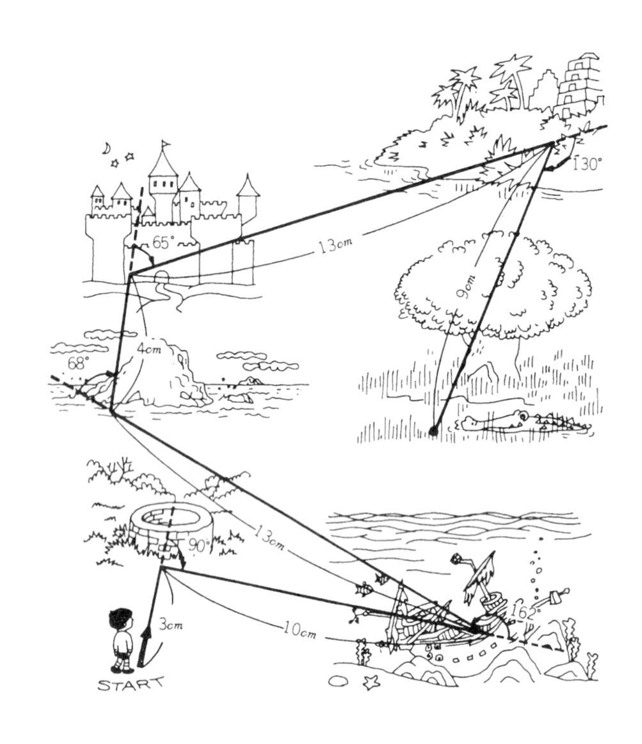

多角形をつくろう（P.64）

〈P.65〉

1．

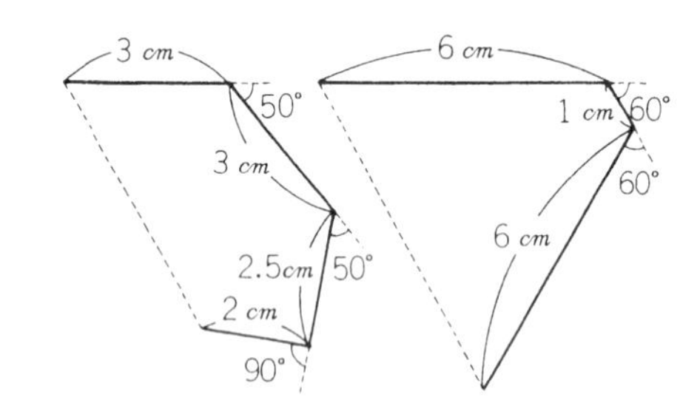

2．左から順に

√ *ABCD*→3cm—$\overset{\curvearrowleft}{75^\circ}$—14cm—$\overset{\curvearrowleft}{108^\circ}$—7cm—$\overset{\curvearrowleft}{90^\circ}$

√ *ABCDE*→2.2cm—$\overset{\curvearrowleft}{50^\circ}$—1.8cm—$\overset{\curvearrowleft}{60^\circ}$

—3.4cm—$\overset{\curvearrowleft}{50^\circ}$—5cm—$\overset{\curvearrowleft}{130^\circ}$

√ *ABCDE*→5cm—$\overset{\curvearrowleft}{128^\circ}$—6.7cm—$\overset{\curvearrowleft}{90^\circ}$

—2cm—$\overset{\curvearrowleft}{20^\circ}$—2cm—$\overset{\curvearrowleft}{65^\circ}$

内角の和（P.69）

〈P.69〉　左から順に

$x=41°$，$x=65°$，$x=50°$，$y=65°$

合同（P.74～P.80）

多角形の合同（P.78）

〈P.89〉

1．対応する角や辺がひとしいので合同です。

2．合同

対称（P.81～P.102）

線対称（P.86）

〈P.86〉

1．左から順に，

$a=2$cm，$b=55°$，$c=60°$，$d=3$cm

$a=4$cm，$b=5$cm，$c=1.2$cm，$d=1$cm，$e=115°$

$a=115°$，$b=150°$，$c=3$cm，$d=2$cm

2．下の図のようになります。

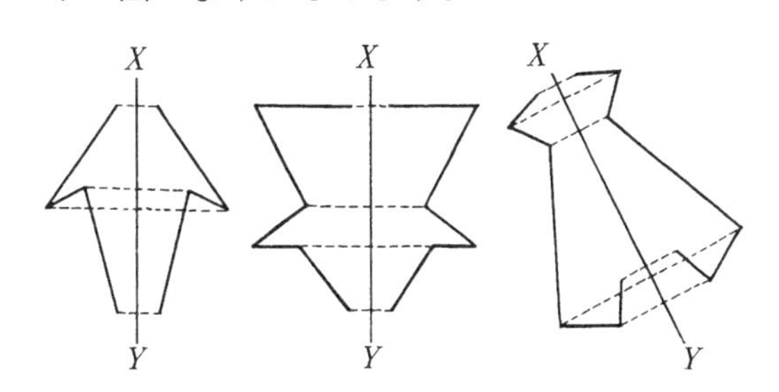

3．左はしの図形は，線対称ではありません。

自己線対称（P.90）

〈P.92〉

1．左から順に，（a＝3 cm，b＝65°，c＝2 cm），（a＝70°，b＝3 cm），（a＝90°，b＝6 cm，c＝65°）

2．下の図のようになります。

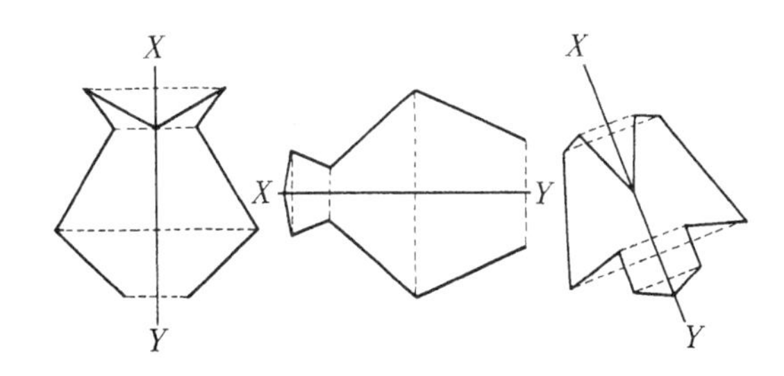

3．左から2ばんめの図形は線対称ではありません。他の図形の対称軸は直線XYでかいてあります。

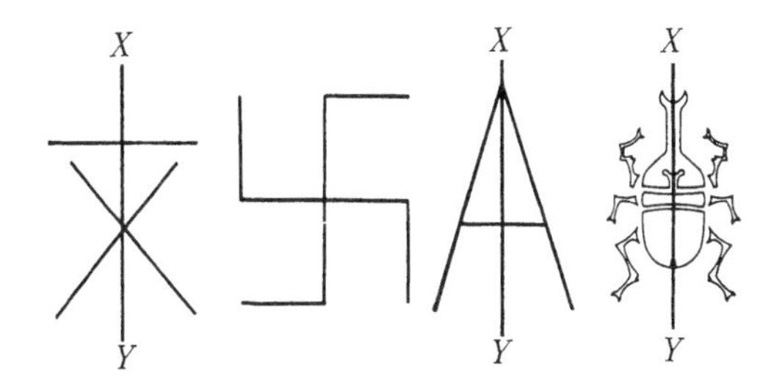

自己点対称（P.95）

〈P.96〉

1．左から順に，（a＝5 cm，b＝4 cm，c＝2 cm，d＝90°，e＝110°，f＝3.4cm），（a＝9.2 cm，b＝6 cm，c＝4 cm，d＝60°），（a＝4 cm，b＝6 cm，c＝130°）

2．下の図のようになります。

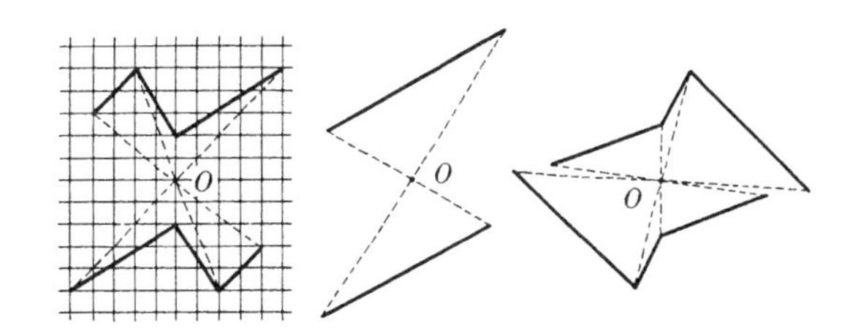

〈P.97〉

3．　左から順に

（ａ＝６cm，　ｂ＝５cm，　ｃ＝３cm，　ｄ＝130°），

（ａ＝９cm，　ｂ＝14.7cm，　ｃ＝10.2cm，　ｄ＝78°），

（ａ＝30°，　ｂ＝70°，　ｃ＝２cm）

4．　略

5．　下の図のようになります。

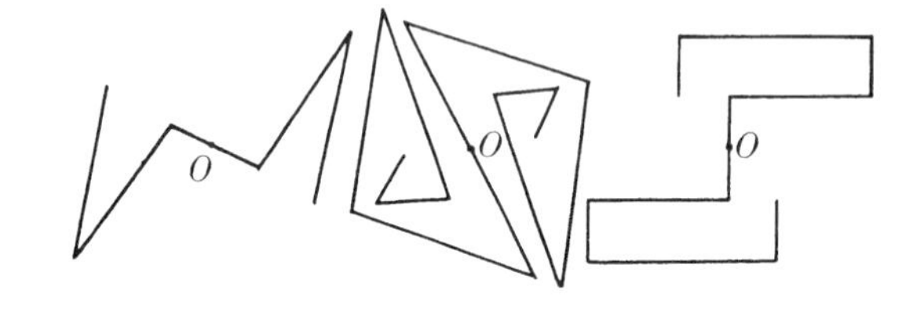

〈P.98〉〈P.99〉　略

対称な四角形（P.103～P.119）

はじめの小人のたねあかし－等脚台形（P.104）

〈P.105〉

1．　左から順に

（ａ＝５cm，　ｂ＝65°，　ｃ＝115°），（ａ＝９cm，　ｂ＝６cm），（ａ＝５cm，　ｂ＝３cm，　ｃ＝105°，　ｄ＝105°，　ｅ＝75°）

2．　右はしの図形が等脚台形。

3．　略

２番めの小人のたねあかし－たこ形（P.106）

〈P.107〉

1．　左から順に

（ａ＝3.5cm，　ｂ＝5.8cm，　ｃ＝85°），（ａ＝20°，　ｂ＝30°，　ｃ＝90°，　ｄ＝130°），（ａ＝６cm，　ｂ＝8.7cm，　ｃ＝110°）

2．　左はしの図形だけたこ形ではありません。

3．　略

３番めの小人のたねあかし－平行四辺形（P.108）

〈P.109〉

1．　左から順に

（ａ＝68°，　ｂ＝68°，　ｃ＝112°），（ａ＝８cm，　ｂ＝10cm，　ｃ＝65°），（ａ＝115°，　ｂ＝65°），（ａ＝７cm，　ｂ＝５cm）

2．　左はしの図形が平行四辺形です。

3．　略

長方形（P.110）

〈P.111〉　左から順に

（ａ＝90°，　ｂ＝12cm，　ｃ＝９cm），（ａ＝110°，　ｂ＝55°，　ｃ＝35°），（ａ＝4.5cm，　ｂ＝4.5cm，　ｃ＝4.5cm）

ひし形（P.112）

〈P.113〉

1．　左から順に

（ａ＝110°，　ｂ＝５cm，　ｃ＝５cm，　ｄ＝５cm），（ａ＝90°，　ｂ＝６cm，　ｃ＝８cm），（ａ＝90°，　ｂ＝35°，　ｃ＝55° ｄ＝35°）

2．　略

正方形（P.114）

〈P.115〉

1．　左から順に

（ａ＝４cm，　ｂ＝４cm，　ｃ＝４cm，　ｄ＝90°），（ａ＝90°，　ｂ＝３cm，　ｃ＝６cm，　ｄ＝45°），（ａ＝90°，　ｂ＝６cm，　ｃ＝90°）

2．　略

面積（P.126～P.140）

平行四辺形の面積（P.128）

〈P.129〉

1．　上列の左から順に，80cm^2，48cm^2，（40cm^2と

$40cm^2$)，下列の左から順に，$72cm^2$，$110cm^2$，$550cm^2$

2．左から順に

● $a \times 9 = 54cm^2$　$a = 54cm^2 \div 9cm = 6cm$

● $a = 114cm^2 \div 12cm = 9.5cm$

● $a = 264cm^2 \div 16cm = 16.5cm$

● $a = 47.2cm^2 \div 4cm = 11.8cm$

3．①$3500m^2 \div 70m = 50m$

②$5.1cm \times 2.3cm = 11.73cm^2$

三角形の面積（P.130）

〈P.131〉

1．上列の左から順に，$45m^2$，$40.5m^2$，$40.5m^2$，$1280cm^2$，$6cm^2$，$112.5cm^2$

2．表の左から，$70m^2$，$9.6cm^2$，$3.1m^2$，$9.24cm^2$

3．①$675m^2$，②$7.2m^2$

台形の面積（P.132）

〈P.133〉

1．上列左から順に，

● $(10cm + 12cm) \times 12cm \div 2 = 132cm^2$

● $(19cm + 4cm) \times 12cm \div 2 = 138cm^2$

● $(5cm + 15cm) \times 13cm \div 2 = 130cm^2$

● $(6cm + 9cm) \times 7cm \div 2 = 52.5cm^2$

● $(7cm + 12cm) \times 9cm \div 2 = 85.5cm^2$

● $(6cm + 4.5cm) \times 5.5cm \div 2 = 28.875cm^2$

2．

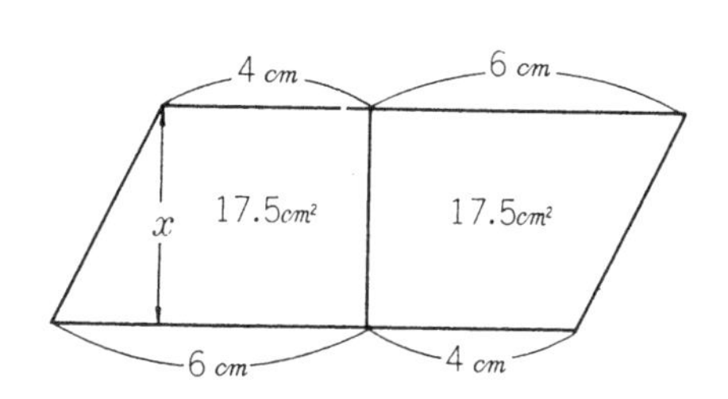

●前の図のようにして，平行四辺形の面積を考えると，

$(6cm + 4cm) \times x = 17.5cm^2 \times 2$

$10cm \times x = 35cm^2$

$x = 35cm^2 \div 10cm$

$= 3.5cm$　　答　3.5cm

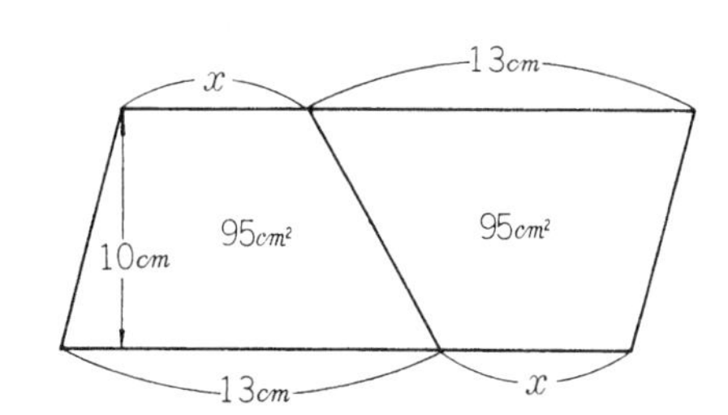

●上の図の平行四辺形の面積は，

$(x + 13cm) \times 10cm = 95cm^2 \times 2$

$(x + 13cm) \times 10cm = 190cm^2$

$(x + 13cm) = 190cm^2 \div 10cm$

$(x + 13cm) = 19cm$

$x = 19cm - 13cm = 6cm$　　答　6cm

●同じように図を考えて，

$(8cm + 3cm) \times x = 44cm^2 \times 2$

$11cm \times x = 88cm^2$

$x = 8cm$　　答　8cm

3．1つの台形の面積は，

$(2.5cm + 8cm) \times 8cm \div 2 = 42cm^2$

台形は全部で20あるから

$42cm^2 \times 20 = 840cm^2$　　答　$840cm^2$

出た！ブラックめ！（P.134）

〈P.136〉

1．上列左から順に，$64.8cm^2$，$19.2cm^2$，$141.5cm^2$，

$121.5cm^2$, $150.5cm^2$, $60cm^2$

2.

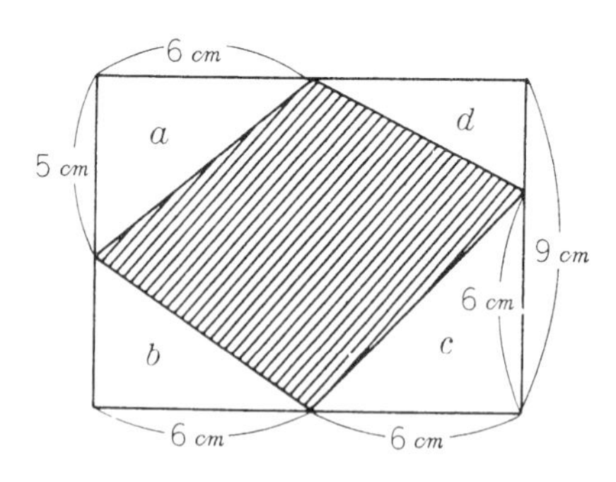

a. $5cm \times 6cm \div 2 = 15cm^2$

b. $4cm \times 6cm \div 2 = 12cm^2$

c. $6cm \times 6cm \div 2 = 18cm^2$

d. $3cm \times 6cm \div 2 = 9cm^2$

白い部分の面積は,

$a + b + c + d = 15cm^2 + 12cm^2 + 18cm^2 + 9cm^2$

$= 54cm^2$

全体の面積は,

$9cm \times 12cm = 108cm^2$

もとめる面積は,

$108cm^2 - 54cm^2 = 54cm^2$　　答　$54cm^2$

面積あそび（P.137）

〈P.140〉

- キリン　$33 + \frac{85}{2} - 1 = 74\frac{1}{2}$
- トリ　$1 + \frac{14}{2} - 1 = 7$
- サル　$8 + \frac{50}{2} - 1 = 32$
- ヘビ　$2 + \frac{52}{2} - 1 = 27$

円（P.141～P.169）

正多角形をつくろう（P.145）

〈P.146〉

①は正九角形，中心角40°，②は正十角形，中心角は36°，③は正十二角形，中心角30°

円周率から円の面積を一（P.155）

〈P.156〉〈P.157〉

①$18cm \times 3.14 = 56.52cm$

②$4.3cm \times 4.3cm \times 3.14 = 58.0586cm^2$

③

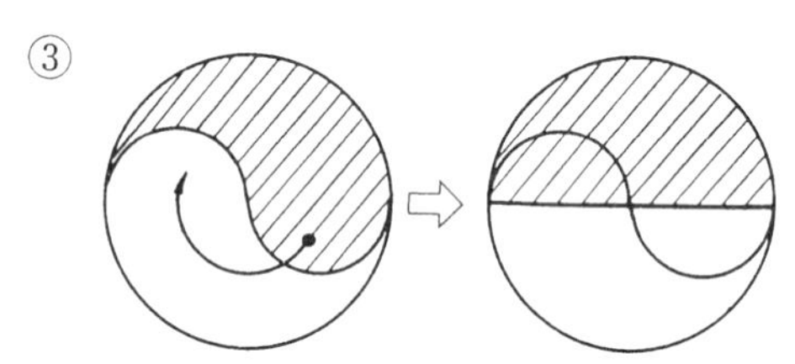

ⓒの面積…前の図のように考えて,

$3cm \times 3cm \times 3.14 \div 2 = 14.13cm^2$

ⓓの面積…白い部分の面積をひいて$2512cm^2$。

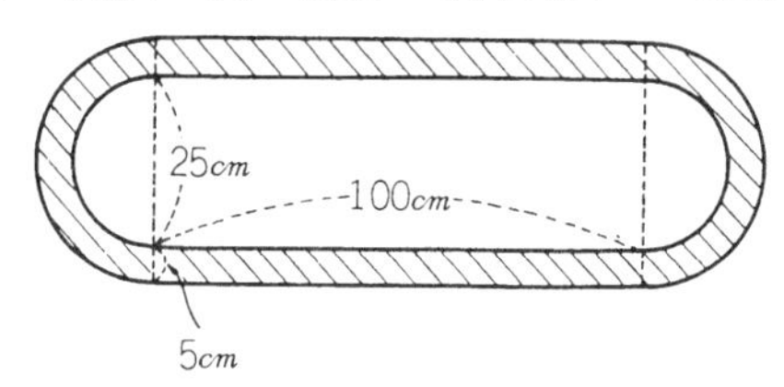

ⓔの面積…上の図の全体の面積から白い部分の面積をひいてもとめる。

$17.5cm \times 17.5cm \times 3.14 + 35cm \times 100cm$

$= 4461.625cm^2$（全体の面積）

$12.5cm \times 12.5cm \times 3.14 + 25cm \times 100cm$

$= 2990.625cm^2$（白い部分の面積）

$4461.625cm^2 - 2990.625cm^2 = 1471cm^2$

（もとめる面積）

おうぎ形の面積（P.160）

〈P.162〉

1. 左から順に,

- $8cm \times 2 \times 3.14 \times \frac{75}{360} = 10.47cm$
- $6cm \times 2 \times 3.14 \times \frac{90}{360} = 9.42cm$

●$10\text{cm}\times2\times3.14\times\frac{320}{360}=55.82\text{cm}$

（小数第3位を四捨五入）

2．左から順に，

●$10\text{cm}\times10\text{cm}\times3.14\times\frac{60}{360}=52.33\text{cm}^2$

●$8\text{cm}\times8\text{m}\times3.14\times\frac{290}{360}=161.88\text{cm}^2$

●$12.5\text{cm}\times12.5\text{cm}\times3.14\times\frac{20}{360}=27.26\text{cm}^2$

●$6\text{cm}\times6\text{cm}\times3.14\times\frac{210}{360}=65.94\text{cm}^2$

●$7\text{cm}\times7\text{cm}\times3.14\times\frac{55}{360}=23.51\text{cm}^2$

3．左から順に，

●$8\text{cm}\times5\text{cm}\times\frac{1}{2}=20\text{cm}^2$

●$17.8\text{cm}\times8\text{cm}\times\frac{1}{2}=71.2\text{cm}^2$

●$36\text{cm}\times23\text{cm}\times\frac{1}{2}=414\text{cm}^2$

ふしぎな機械ノビノビ（P.170～P.183）

相似と辺角表〈P.175〉

〈P.177〉

1．辺の長さは２倍になります。 図省略

2．

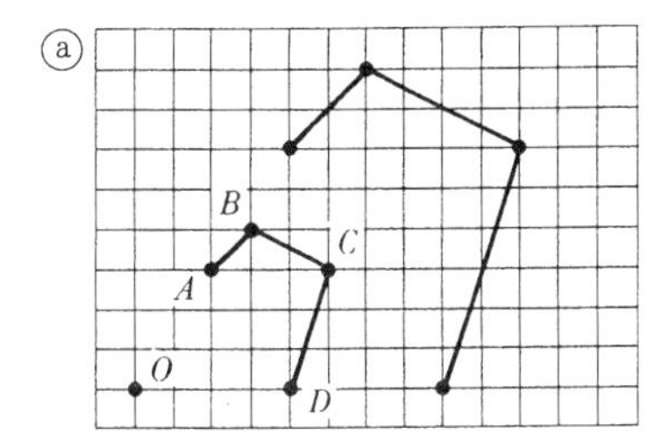

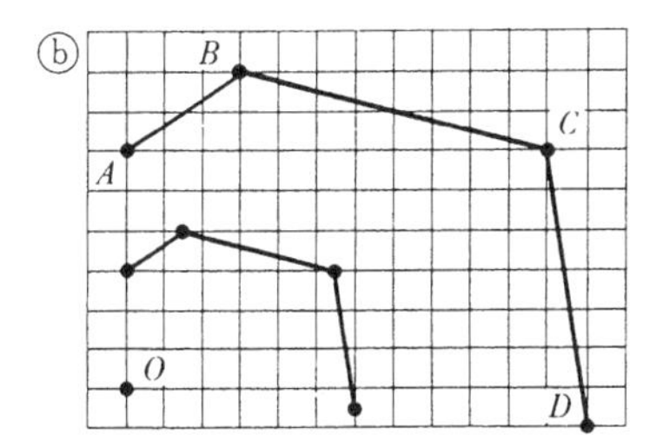

3．左から２ばんめの折れ線と相似です。倍率は$\frac{1}{2}$です。

倍率と縮尺（P.178）

〈P.179〉たてが5.3cm，横が6.6cmあるので，実さいの長さは，たて530cm(5.3m)，横660cm(6.6m)になります。

縮図((P.180)

〈P.181〉

10mは1000cmなので，縮図は$\frac{10}{1000}$($=\frac{1}{100}$)の倍率になります。

$17.3\text{cm}\times100=1730\text{cm}(=17.3\text{m})$

こんな相似もある（P.182）

〈P.183〉

1．円は半径が何cmでもすべて相似です。この長方形と平行四辺形は相似ではありません。

2．ⓐ$x=130^\circ$，$y=10\text{cm}$，$z=67^\circ$

ⓑ$x=2\frac{2}{5}\text{cm}$，$y=2\frac{1}{2}\text{cm}$，$z=8\text{cm}$

3．左の表，上から順に，

1 m，6 cm，2 m，78cm，5.2m，20m

右の表，上から順に，

0.00525mm，2 mm，3.5cm，50m，187.5m，420m

立体の曲芸がはじまった（P.188～P.227）

面が動くと……〈P.192〉

〈P.193〉

1．左から順に，

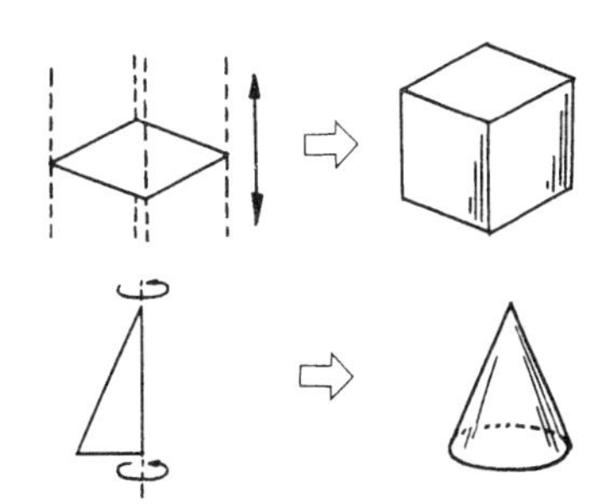

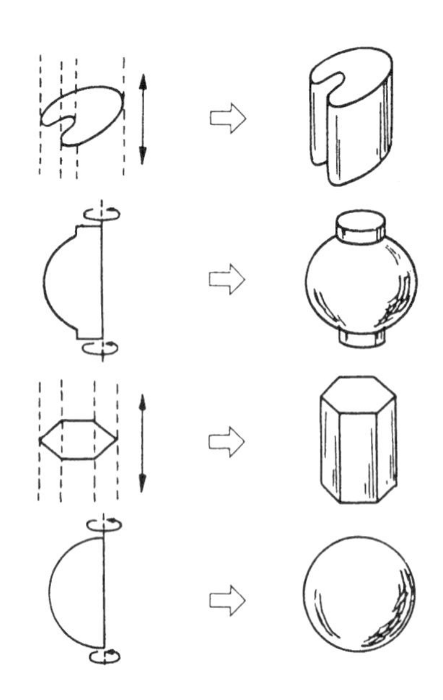

2．つぎのような立体になります。

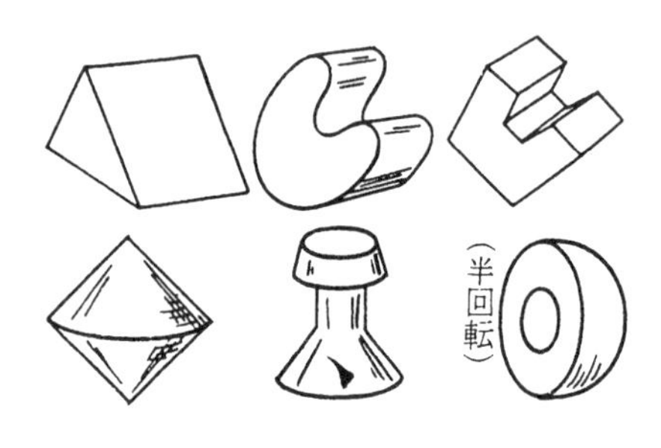

多面体の性質を調べると（P.196）

〈P.197〉

1．左から，七面体，六面体，八面体になっています。

2．左の図形から順にA，B，Cとすると，

	面の数	頂点の数	辺の数	面の数＋頂点の数－辺の数
A	6	8	12	6＋8－12＝2
B	5	5	8	5＋5－8＝2
C	8	6	12	8＋6－12＝2

3. 左側の図形は，上記の問題2の解答にある「面の数＋頂点の数－辺の数＝2」というオイラーの多面体公式が成りたちます。

うら側も見おとさないように。

点Pはどこにある？（P.201）

〈P.202〉

オウムの問題　$P(3,\ 6,\ 4)$，$Q(3,\ 6,\ 0)$，$R(3,\ 0,\ 4)$，$S(0,\ 6,\ 4)$，$O(0,\ 0,\ 0)$，$A(0,\ 0,\ 4)$，$B(3,\ 0,\ 0)$，$C(0,\ 6,\ 0)$

グーグーの問題

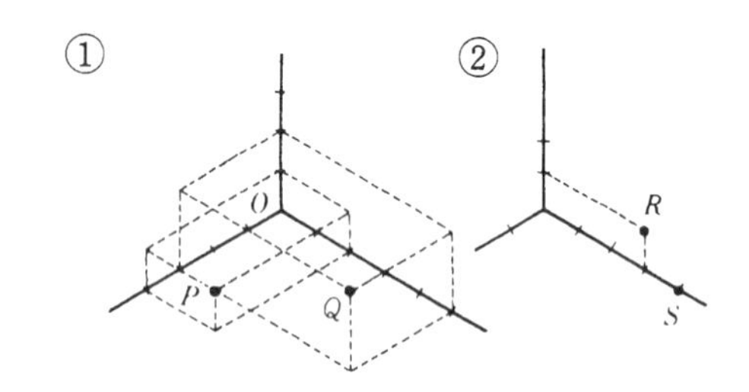

〈P.203〉

ピエロの出題

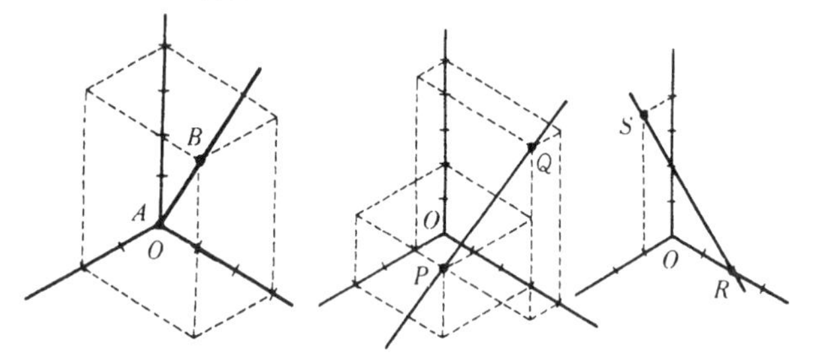

平行な直線を発見しよう〈P.205〉

〈P.206〉

直線②と④が平行です。図は少しふくざつですが下のようになります。2点C，DとG，Hでx，y，zの値の差を見ると(4，3，2)となっています。計算してみてください。

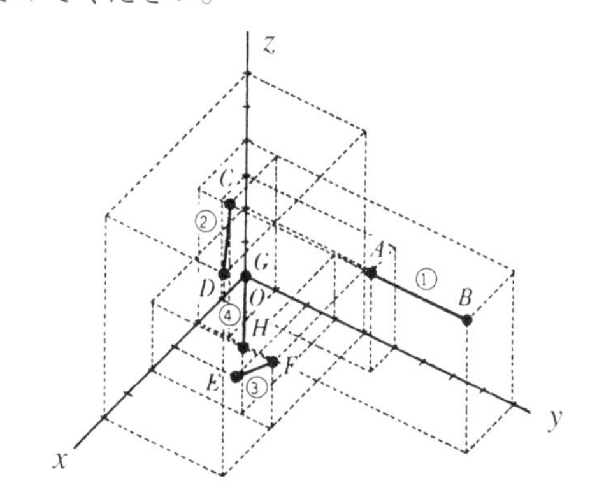

すい（P.209）

〈P.210〉〈P.211〉略

回転体のもとの形をさがそう（P.216）

〈P.218〉

1．ⓐ－㋩，ⓑ－㋑，ⓒ－㋺

2．

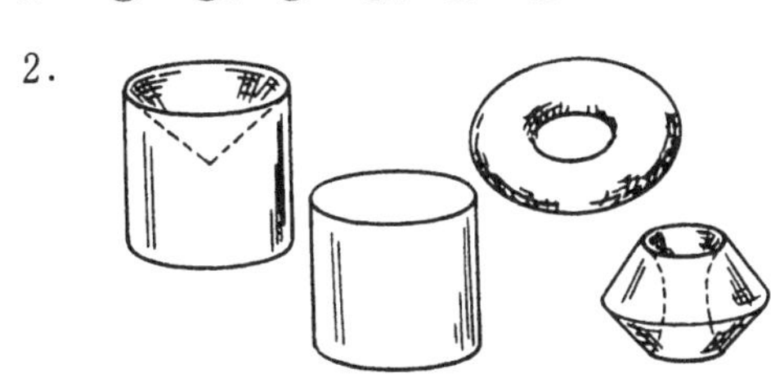

3．

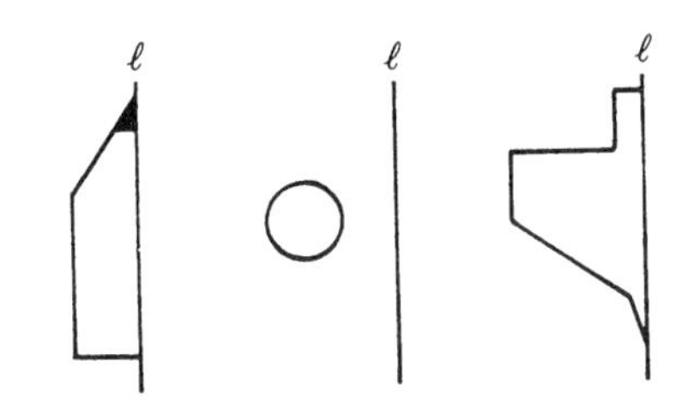

立体を平面にしてみると……〈P.219〉

〈P.222〉〈P.223〉略

〈P.224〉

1．左から順に，301.44cm^2，1083cm^2，406cm^2

2．左から順に，395.64cm^2，72cm^2 ※，692cm^2

※正四面体の正三角形の高さは，小数第2位を四捨五入してあります。

3．左から順に，736cm^2，863.5cm^2

体積（P.228～P.239）

すいの体積（P.230）

〈P.231〉

1．左から順に，314cm^2，763.02cm^2，628cm^2

2．左から順に，10cm^3，169.56cm^3，72cm^3

3．左から順に，2645000m^3，615.44cm^3，$20.9\dot{3}\text{cm}^3$

※$\pi=3.14$を先にかけてから3でわります。

球の体積（P.232）

〈P.234〉

1．左から順に，$33.49\dot{3}\text{cm}^3$，$267.94\dot{6}\text{cm}^3$，$1087252514773.\dot{3}\text{km}^3$

※$\pi=3.14$を先にかけてから3でわります。

2．表面積のらんの上から順に，50.24cm^2，113.04cm^2，200.96cm^2，314cm^2，452.16cm^2

体積のらんの上から順に，$4.18\dot{6}\text{cm}^3$，$33.49\dot{3}\text{cm}^3$，113.04cm^3，$267.94\dot{6}\text{cm}^3$，$523.\dot{3}\text{cm}^3$，904.32cm^3

3．左から順に，169.56cm^3，$5233.\dot{3}\text{cm}^3$，1570cm^3

第６巻 変身箱の不思議

〈解答〉

金あみの水そうで考える（P.4～P.14）

〈P.7〉

1．①3　②2.4　③$1\frac{4}{7}$　④0.8

2．①，③

3．①2.4　②1.9　③2.14　④0.4

〈P.9〉

1．①6.76dℓ　②$7\frac{7}{15}$dℓ　③5.16dℓ　④0.6dℓ

2．①5.04dℓ　②$2\frac{2}{5}$dℓ　③2.2dℓ　④$\frac{5}{7}$dℓ

〈P.11〉

1．①3.5dℓ　②$1\frac{1}{2}$dℓ　③2dℓ　④0.75dℓ

2．①2.08dℓ　②$1\frac{1}{5}$dℓ　③3dℓ　④$\frac{6}{11}$dℓ

〈P.14〉

①14.4dℓ　②$5\frac{1}{4}$dℓ　③7.5dℓ　④1.5dℓ

⑤10.5dℓ　⑥0.75dℓ　⑦$1\frac{11}{24}$dℓ　⑧0.07dℓ

比例を探険しよう（P.15～P.29）

〈P.18〉〈P.19〉

①比例する　②比例する　③比例する

④比例しない　⑤比例する　⑥比例しない

⑦比例しない　⑧比例しない　⑨比例しない

⑩比例する　⑪比例する　⑫比例する

〈P.21〉

1．3÷48×240＝15　　15ℓ

2．96÷12×5＝40　　40km

3．1.2÷40×800＝24　　24kg

4．5÷110×230＝$10\frac{5}{11}$　　$10\frac{5}{11}$m

5．2.5÷10×15＝3.75　　3.75kg

6．315÷350×150＝135　　135円

350÷315×1800＝2000　　2000g

〈P.23〉

1．12÷200×520＝31.2　　31.2m

2．1.5÷1.2×16＝20　　20m

3．30÷240×560＝70　　70g

4．8÷10×80＝64　　64m^3

〈P.24〉

1．250÷4×7＝437.5　　437.5km

4÷250×750＝12　　12時間

2．30÷270×720＝80　　80分

3．30÷2.5×7.5＝90　　90m^3

4．7÷10150×4640＝3.2　　3.2分

〈P.25〉

1．1分10秒　2．3分$33\frac{1}{2}$秒，15分15秒

3．$15\frac{3}{11}$秒　4．$\frac{10}{21}$秒

〈P.26〉

1．$29\frac{1}{9}$ℓ　　2．42ℓ　　3．$16\frac{2}{3}a$

〈P.27〉

①15m^2あたり3.5kgの肥料をまくとすると，2aの土地には何kgまけばいいでしょう？

答　$46\frac{2}{3}$kg

②10m歩くごとに20cmずつ高くなる坂道があります。160m歩くと何cm登るでしょうか？

答　320cm

③2kgの海水から60gの食塩がとれます。4tの海水からは何kgの食塩がとれるでしょう？

答　120kg

④1.5時間で45km走る船があります。7時間では何km走るでしょうか？

答　210km

⑤3日間で2分おくれる時計があります。この時計は25日間では何分おくれるでしょうか？

答　$16\frac{2}{3}$分

⑥水そうに40ℓ水を入れたら，深さが2.4cmになりました。深さが18cmになるまで水を入れると，

水の量は何ℓになるでしょうか？

答　300ℓ

〈P.28〉

サッカー：1.　968kg　2.　11.25t　3.　3.06dℓ

ユカリ：1.　589.5g　2.　186g　3.　2100円

4.　1250万円　5.　$1445\frac{5}{11}$円

〈P.29〉

ピカット：1.　150g　2.　225mℓ　3.　$16m^3$

4.　600g

マクロ：1.　282875台　2.　2555時間

ミクロ：1.　3900m　2.　60km　3.　210秒

〈P.39〉

1.　68.4kg　2.　3.19ℓ　3.　41600人　4.　990円

5.　16a　6.　3km　7.　2.94m　8.　400本

9.　58人

〈P.40〉

1.　104ひょう　2.　4m　3.　2090円

〈P.41〉

1.　①22dℓ　②14.4ℓ　③$2\frac{2}{5}$g　④$\frac{1}{3}$kg　⑤$1.3m^2$

2.　①15.4ℓ　②6.3ℓ　③$72m^2$　④$3\frac{3}{5}$g

3.　①10.56cm　②$75m^3$　③4人

4.　①弟の身長は132cmです。わたしの身長は弟の1.15倍です。何cmでしょうか？

②A校では，給食のおかずをつくるために，毎月しょう油24ℓを使います。B校では生徒の数が多いので，A校の1.8倍使います。B校は毎月何ℓのしょう油を使うのでしょう？

③A町からB町へ行くためにバスに乗ると，料金は30円です。A町からC町へ行くには，バスの料金はその$1\frac{1}{3}$倍です。いくらかかるでしょう？

④C子さんの家の畑は全部で60aです。そのうちの0.75倍に毎年麦をつくります。麦をつくる畑は何aでしょう？

何倍あるのかな？（P.30～P.54）

〈P.31〉

①2倍　②4倍　③8倍　④5倍

〈P.32〉

①1.8倍，$1\frac{4}{5}$倍　②6.4倍，$6\frac{2}{5}$倍

〈P.35〉

1.　左から35ℓ，13.02ℓ，$3\frac{8}{9}$g，$6\frac{3}{10}$kg，$\frac{16}{27}$m，$0.24m^2$

2.　表は略　①$12\frac{26}{27}m^3$，$15\frac{2}{5}m^3$，$1\frac{5}{9}m^3$，$2\frac{4}{5}m^3$

②$\frac{9}{10}$km，$\frac{39}{50}$km，0.008km，$\frac{1}{35}$km　③4.8kg，1.76kg，0.164kg，$1\frac{2}{5}$kg，$\frac{1}{10}$kg

〈P.36〉

マクロの場合：123.25cm

1.　136.5kg　2.　377kg　3.　49a

〈P.37〉

1.　3m　2.　138人　3.　8cm　4.　2520円，420円

〈P.44〉

①2倍　②4倍　③2000倍

〈P.45〉

④100倍　⑤362.5倍　⑥6倍　⑦250倍

〈P.47〉

1.　①120dℓ　②4ℓ　③2.3m　④216km

⑤120m² ⑥$8\frac{1}{3}$g

2. 28a　3. 42195m　4. 2400円

〈P.49〉

$\frac{5}{28}$, 1260m²

〈P.54〉

1. 5割8分2厘, 6割1厘, 1割8分, 4割5分, 6割, 1割, 5厘, 2分3厘, 1割1厘, 12割6分7厘
2. 0.294, 0.163, 0.32, 0.506, 0.074, 1.267, 1.06, 1.403
3. 35.3%, 30.1%, 8.4%, 108.3%, 0.3%, 40%, 68%, 5%, 170%, 200%
4. 0.314, 0.181, 0.863, 0.16, 0.96, 0.07, 0.02, 0.005, 1.05, 2
5. 左側上段から, 0.375, 3割7分5厘, 37.5%, $\frac{317}{1000}$, 0.317, 3割1分7厘
   右側上段から, $\frac{4}{25}$, 1割6分, 16%, $\frac{403}{1000}$, 0.403, 40.3%
6. 1620円　7. 26880円　8. 900kℓ

割合って何だ？（P.55～P.73）

〈P.59〉

①A町左から, 0.15, 0.5, 0.25, 0.1
　B町左から, 0.2, 0.125, 0.5, 0.175
　C町左から, 0.5, 0.1, 0.3, 0.1

②

A町

農業	商　業	工　業	その他

B町

農業	商業	工　業	その他

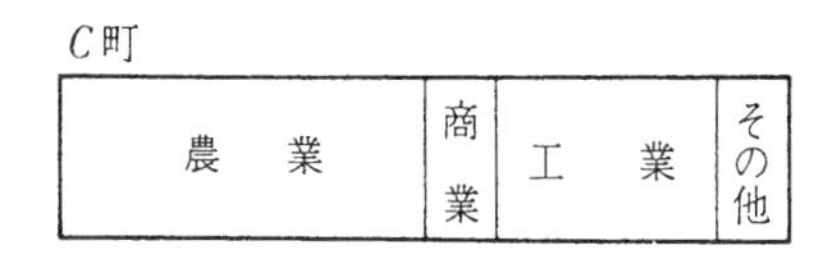

〈P.61〉

1. 全体の数：150冊, 文学書87冊, 歴史書27冊
2. 全体：2000g, アルミニウム1900g, マグネシウム20g
   マクロの身長：262.8cm

〈P.65〉

①18：4：3：6 ②4：8：15 ③3：8

〈P.68〉

$1\frac{1}{3}$, 1.2

1. ①1.4 ②1.875 ③$1\frac{1}{6}$
2. クロム15kg, 鉄33kg

〈P.71〉

1. 市野631313円, 松井1060606円, 菅808081円（小数第1位を四捨五入）
2. 銅1.76kg, スズ3.74 kg, アルミニウム16.5kg
3. 3000円, 4500円, 7500円
4. 30cm, 40cm, 50cm

〈P.72〉〈P.73〉

1. ①A：0.25, 0.4, 0.35　B：0.2, 0.55, 0.25
   C：0.3, 0.2, 0.5

   ②

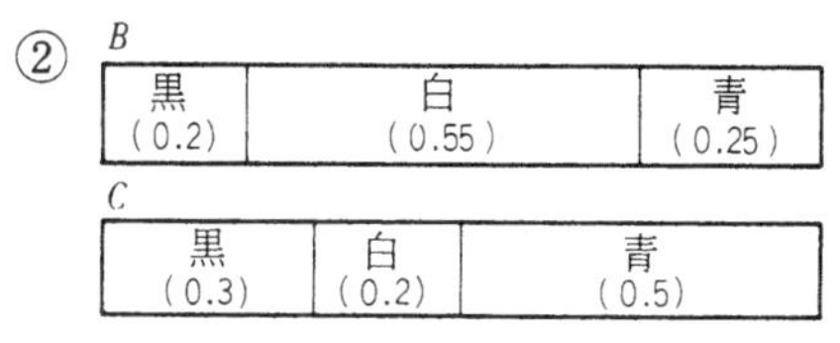

2. タイル全体の数 150 個, 青36個, 黄72個, 黒15個
3. 略

不思議な変身箱（P.74～P.103）

〈P.100〉

1．７，９，11，13，15，17，19，21，23

2．①6　②21　③56　④1　⑤2　⑥$3\frac{1}{3}$　⑦5

⑧1.05　⑨4.5

3．３，５，７，13，15，17，19，

4．２，３，６，７，10，11

〈P.101〉

5．２倍して１を加える働き

6．①２倍して２を加える働き

②$y=f(x)=(x)\times 2+2$

③6，10，14，18，22

第７巻 ふく面の算数

〈解答〉

<P.22>

出し物 1

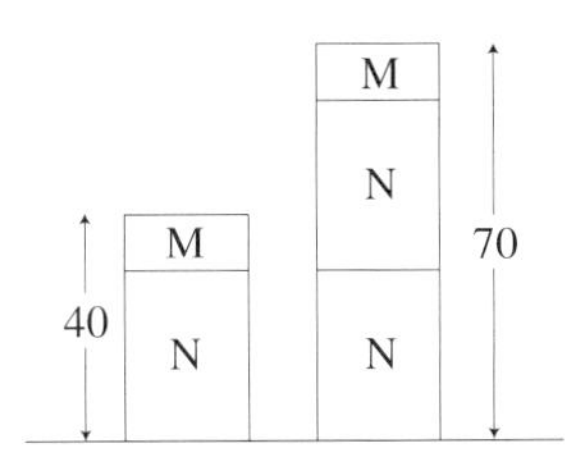

$2N + M = 70$

$N + M = 40$　答　$N = 30$, $M = 10$

出し物 2

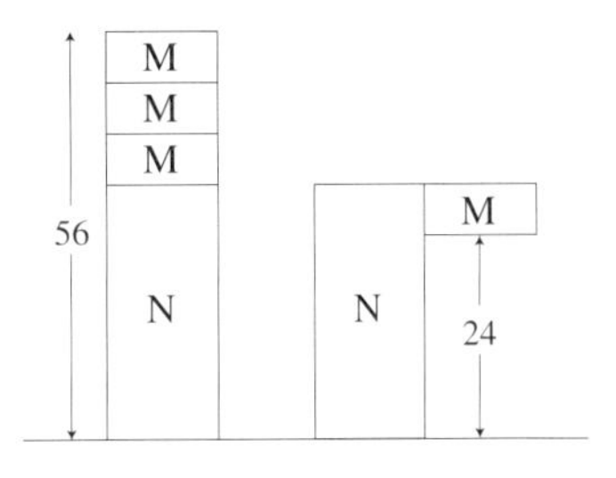

$N + 3M = 56$

$N - M = 24$

$4M = 56 - 24$　答　$M = 8$, $N = 32$

<P.23>

出し物 3

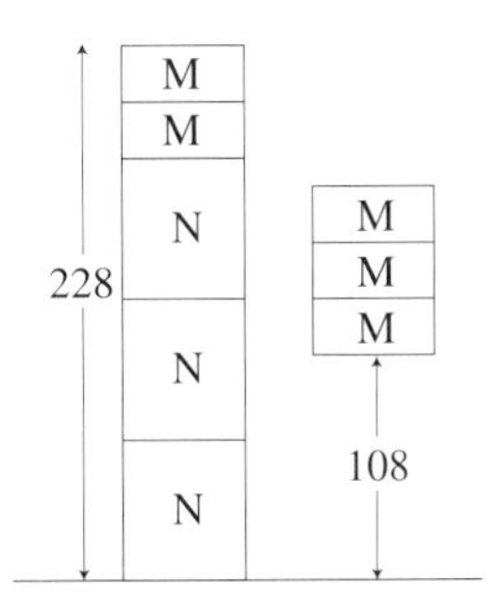

$3M + 2N = 228$

$N - M = 36$

$5M + 108 = 228$

$5M = 120$　答　$M = 24$, $N = 60$

方程式（P.41～P.69）

〈P.51〉

①$11x$　②$4a$　③$4a$　④$6x$

〈P.53〉

①$6a+8b+10$　②$21x-6y+3$　③$4x-8y-4$

④$2x-3y+5$　⑤$\frac{1}{6}a+\frac{2}{9}b-\frac{1}{15}$　⑥$9a+4b+5$

〈P.57〉

1．①$b=2a+10$　㋺$V=9\pi h$

2．㋑$x+5a+3b=4y$　㋺$x=y+a$　㋩$2a=7b-1$

㋥$a=3b+5$　㋭$4+3x=2b$　㋬$8x-3y=-5$

※項の順序は違ってもかまいません。

〈P.59〉

㋑$x=\frac{8}{3}$　㋺$x=\frac{6}{7}$　㋩$x=1\frac{7}{12}$　㋥$x=\frac{3}{8}$　㋭$x=3$

㋬$x=\frac{4}{15}$　㋣$x=1$　㋠$x=0$　㋷$x=\frac{9}{5}$　㋦$x=\frac{15}{18}$

〈P.61〉

㋑$x=20$　㋺$x=2\frac{1}{2}$　㋩$x=20$　㋥$x=50$

㋭$x=\frac{13}{60}$　㋬$x=\frac{1}{15}$　㋣$x=1\frac{5}{11}$　㋠$x=1\frac{25}{52}$

㋷$x=12$　㋦$x=24$　㋸$x=27$　㋾$x=9$

㋻$x=\frac{1}{2}$　㋕$x=\frac{15}{182}$　㋵$x=\frac{2}{13}$　㋟$x=\frac{13}{98}$

〈P.63〉

㋑$x=\frac{6}{19}$　㋺$x=\frac{1}{5}$　㋩$x=7$　㋥$x=1$　㋭$x=\frac{1}{3}$

㋬$x=157\frac{1}{2}$

〈P.65〉

1. 持っているお金をxとする。

$\frac{x}{50}-\frac{x}{60}=6$　　答1800円

2. A，B間の距離をx kmとする。

$\frac{x}{48}-\frac{x}{64}=1\frac{1}{2}$　　答288km

〈P.67〉

1．$11\frac{1}{4}$分　2．りんご24個　みかん60個

3．$13\frac{11}{13}$時間後　4．17

連立方程式（P.70～P.95）

〈P.75〉白い箱をx，赤い箱をyにおきかえると

$(x=1,\ y=2)$ $(x=9,\ y=3)$ $(x=11,\ y=23)$

〈P.78〉

1．白い箱をx，赤い箱をyにおきかえると

㋑$\begin{cases}x=4\\y=1\end{cases}$　㋺$\begin{cases}x=7\\y=13\end{cases}$　㋩$\begin{cases}x=0\\y=39\end{cases}$

2．

㋑$\begin{cases}x=2\\y=3\end{cases}$　㋺$\begin{cases}x=12\\y=1\end{cases}$　㋩$\begin{cases}x=100\\y=2\end{cases}$

㋥$\begin{cases}x=346\\y=37\end{cases}$　㋭$\begin{cases}x=0\\y=1\end{cases}$　㋬$\begin{cases}x=0\\y=1\end{cases}$　㋣$\begin{cases}x=\frac{1}{2}\\y=\frac{1}{2}\end{cases}$

〈P.81〉

㋑$\begin{cases}x=100\\y=800\end{cases}$　㋺$\begin{cases}x=9\\y=1\end{cases}$

〈P.84〉

㋑$\begin{cases}x=3\\y=4\end{cases}$　㋺$\begin{cases}x=6\\y=5\end{cases}$　㋩$\begin{cases}x=7\\y=1\end{cases}$　㋥$\begin{cases}x=2\\y=3\end{cases}$

㋭$\begin{cases}x=3\\y=0.1\end{cases}$

〈P.86〉

①$\begin{cases}x+y=50\\8x+25y=927\end{cases}$

答　8円切手15枚，25円切手31枚

②$\begin{cases}65x+80y=756\\880x+960y=9424\end{cases}$

答　$A=3\frac{26}{50}\ell$，$B=6\frac{59}{100}\ell$

③$\begin{cases}12x+15y=540\\14x+9y=528\end{cases}$

答　りんご30円，みかん12円

<P.87>

④ $\begin{cases} x+y=10 \\ 13x+18y=165 \end{cases}$

答　Aが3分間，Bが7分間

⑤ $\begin{cases} 48x+60y=1608 \\ 14x+18y=478 \end{cases}$

答　ふつうのたまご11個，大きいたまご18個

⑥ $\begin{cases} x+y=630 \\ \dfrac{x}{45}+\dfrac{y}{60}=11 \end{cases}$

答　自動車が90km，電車が540km

<P.92>

和差算 $\begin{cases} x+y=89 \\ x-y=67 \end{cases}$

答　大きい数78，小さい数11

消去算 $\begin{cases} 3x+5y=150 \\ 4x+5y=175 \end{cases}$

答　なし25円，かき15円

年齢算 $\begin{cases} x-y=4 \\ y=\dfrac{5}{6}x \end{cases}$

答　姉24歳，妹20歳

<P.93>

倍分数 $\begin{cases} x+y=980 \\ x=3y-60 \end{cases}$

答　花子さんの本720円，友だちの本260円

仮定算 $\begin{cases} x=3y \\ 3x+8y=255 \end{cases}$

答　三角定規45円，消しゴム15円

ツルカメ算 $\begin{cases} x+y=36 \\ 4x+2y=110 \end{cases}$

答　キツネ19匹，カラス17匹

第８巻 集合だいすき

〈解答〉

探険隊の考えた集合は，正しいか？〈P.22～P.23〉

〈P.23〉

①正しい。

②どれくらい重いのか範囲がはっきりしないので，まちがい。

③正しい。

④かわいさの簡囲や基準がはっきりしないので，まちがい。

⑤正しい。

集合と要素（P.25～P.28）

〈P.28〉

1. $A=\{x|x$ は10以下の自然数$\}$

 $B=\{x|x$ は10以下の奇数$\}$

 $C=\{x|x$ は10以下の偶数$\}$

 $D=\{x|$は1週間の曜日$\}$

 $E=\{x|x$ は1年の四季$\}$

2. $A=\{1,\ 4,\ 7,\ 10,\ 13,\ 16,\ 19,\ 22,\ 25,\ 28,\ 31,\ 34,\ 37,\ 40,\ 43,\ 46,\ 49\}$

 $B=\{$福岡，佐賀，長崎，熊本，大分，宮崎，鹿児島$\}$

 例，$C=\{$父，母，ぼく，妹，弟$\}$

3. $A=\{1,\ 3,\ 5,\ 7,\ 9\}=\{x|\ x$ は2でわったとき1あまる10以下の自然数$\}$

 $B=\{$青森，秋田，山形，岩手，宮城，福島$\}=\{x|x$ は東北地方のぜんぶの県$\}$

 $C=\{3,\ 6,\ 9,\ 12,\ 15,\ 18,\ 21,\ 24,\ 27,\ 30,\ 33,\ 36,\ 39,\ 42,\ 45,\ 48\}=\{x|x$ は3でわりきれる50以下の自然数$\}$

 $D=\{$栃木，群馬，埼玉，長野，山梨，岐阜，滋賀，奈良$\}=\{x|x$ は日本で海に面していない県$\}$

∈という記号について（P.29）

〈P.29〉

 $3\in A$，$6\notin A$，$1\in A$，$9\in A$，$5\in A$，$A\ni 7$，$A\not\ni 12$，$A\ni 5$，$A\ni 1$，$A\ni 9$，$A\not\ni 10$，$A\not\ni 8$

空集合（P.31～P.32）

〈P.32〉

 空集合は，①，②，③，⑤

集合の大きさについて（P.33～P.35）

〈P.35〉

1. A10コ，B12コ，C1コ

2. C，B，Aの順

部分集合（P.37～P.41）

〈P.38〉

1.

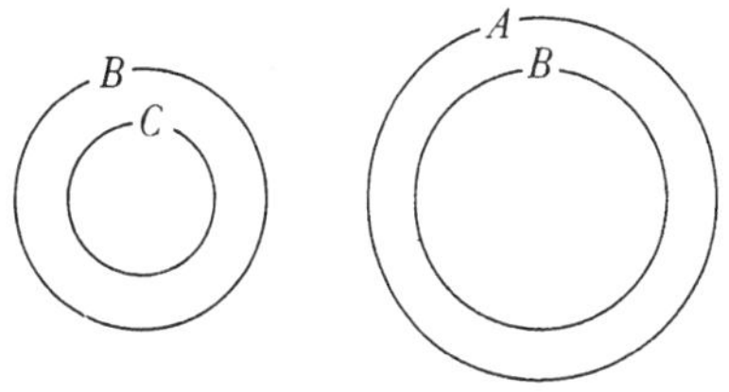

$C\subset B$ $B\subset A$

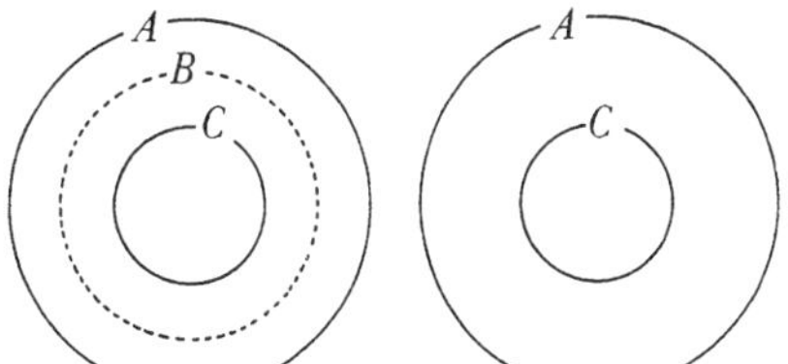

$C\subset A$

2. $A=\{1,\ 2,\ 3,\ 4,\ 5,\ 6,\ 7,\ 8\}$

 $B=\{2,\ 4,\ 6,\ 8\}$とすると，

 $A\supset B$，$B\subset A$

 ※解答としてはどちらか1つでよい。

3. $A=\{x|x$ は関東地方にある県$\}$

 $B=\{y|y$ は関東地方で海に面していない県$\}$

 とすると，

 $A\supset B$，$B\subset A$。

〈P.41〉

1. 全部で８通り(空集合の場合も忘れないこと)

2. $\{a, b\}$, $\{a\}$, $\{b\}$, $\{\ \}$

共通集合（P.43～P.49）

〈P.49〉

1. $A\cap B=\{2, 4, 6\}$

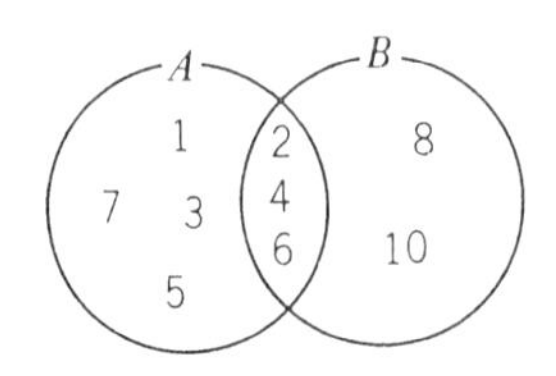

2. $A\cap B=\{3, 7, 25\}$

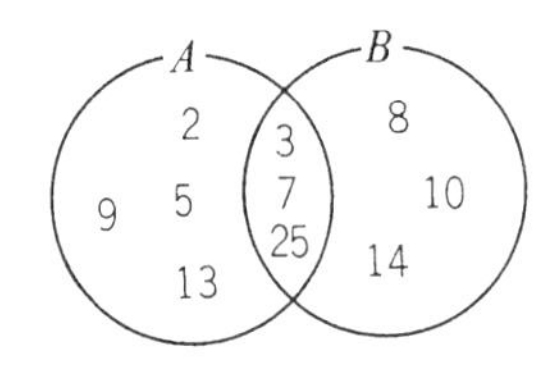

3. $A\cap B=\{z \mid z$ は12以下の４と３の公倍数$\}=$ $\{12\}$

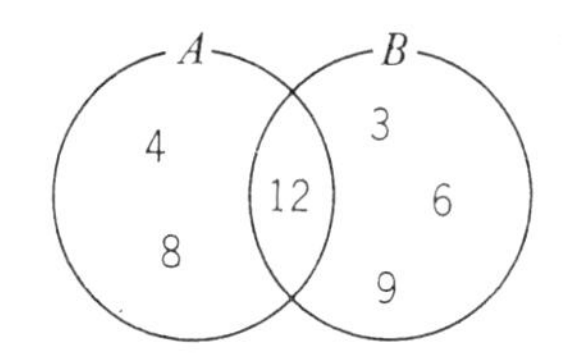

4. $A\cap B=\{z \mid z$ は第１小学校の６年生の女の生徒$\}$

合併集合（P.51～P.55）

〈P.55〉

1. $A\cup B=\{z \mid z$ は20以下の３の倍数と４の倍数$\}=\{3, 4, 6, 8, 9, 12, 15, 16, 18, 20\}$

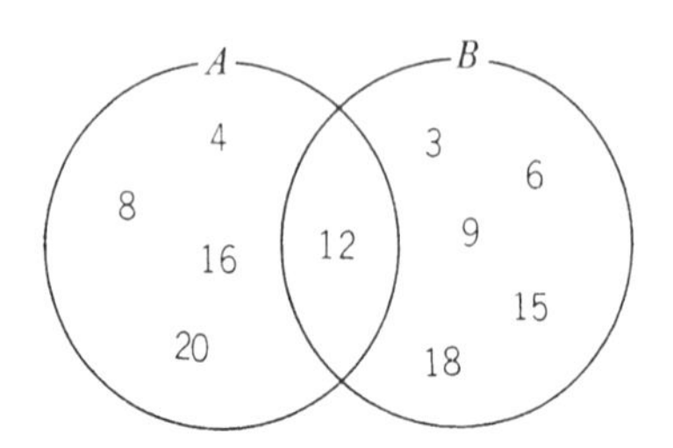

2. $A\cup B=\{0, 10, 20, 30, 40, 60\}$

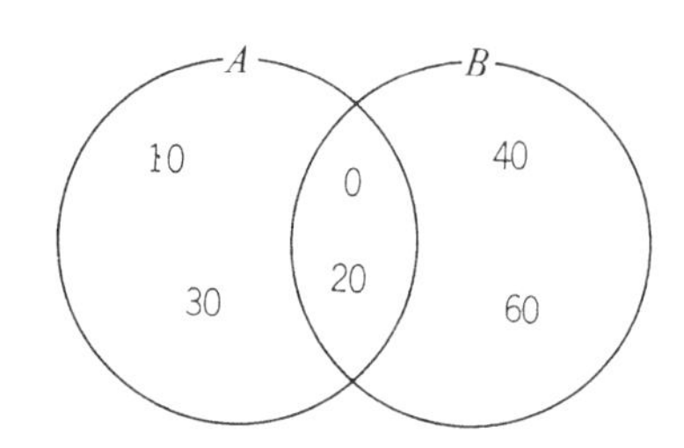

3. $A\cup B=\{z \mid z$ はクラスの男の生徒かメガネをかけている生徒$\}$

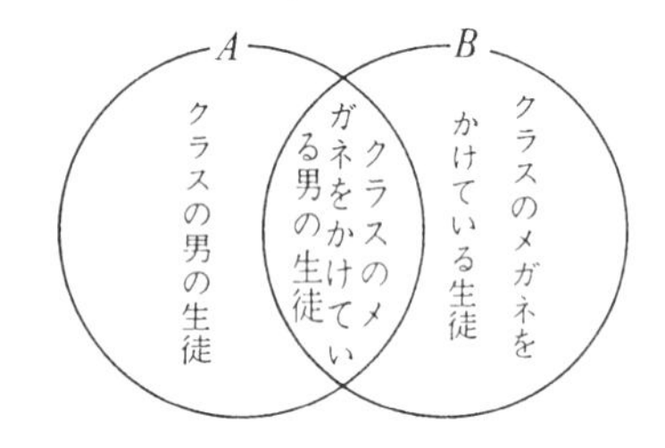

4. $A\cup B=\{z \mid z$ は100以下の８の倍数か14の倍数$\}=\{8, 14, 16, 24, 28, 32, 40, 42, 48, 56, 64, 70, 72, 80, 84, 88, 96, 98\}$

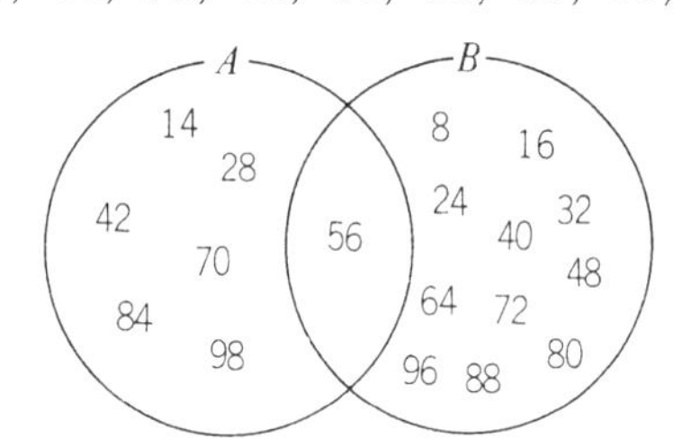

∩と∪の法則（P.56～P.75）

〈P.59〉

$A=\{3, 6, 9, 12, 15, 18\}$

$B=\{1, 3, 5, 7, 9, 11, 13, 15, 17, 19\}$

$A\cup B=\{1, 3, 5, 6, 7, 9, 11, 12, 13, 15, 17, 18, 19\}=B\cup A$

〈P.61〉

$A=\{3, 6, 9, 12, 15, 18, 21, 24, 27, 30\}$

$B=\{4, 8, 12, 16, 20, 24, 28\}$

$A\cap B=\{12, 24\}=B\cap A$

〈P.65〉

①要素の式で考えると，$A\cup B=\{0, 2, 3, 4, 6, 8, 9, 10, 12\}$

$(A\cup B)\cup C=\{0, 2, 3, 4, 6, 8, 9, 10, 12, 18\}=A\cup(B\cup C)$

ベン図で考えると

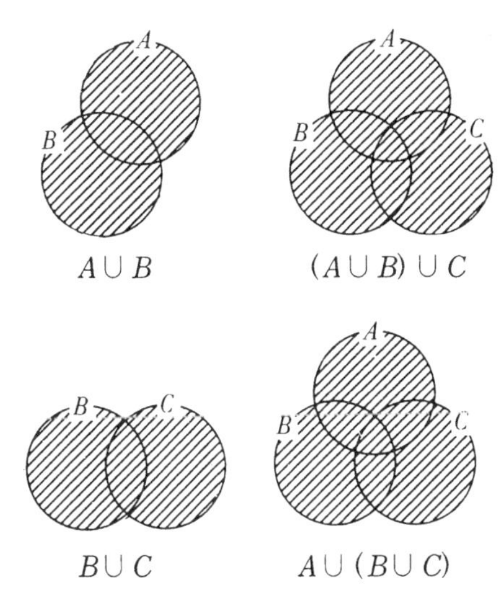

$A\cup B$　$(A\cup B)\cup C$

$B\cup C$　$A\cup(B\cup C)$

②要素の式で考えると，$A\cap B=\{0, 6\}$

$(A\cap B)\cap C=\{0, 6\}$

$=A\cap(B\cap C)$

ベン図で考えると，

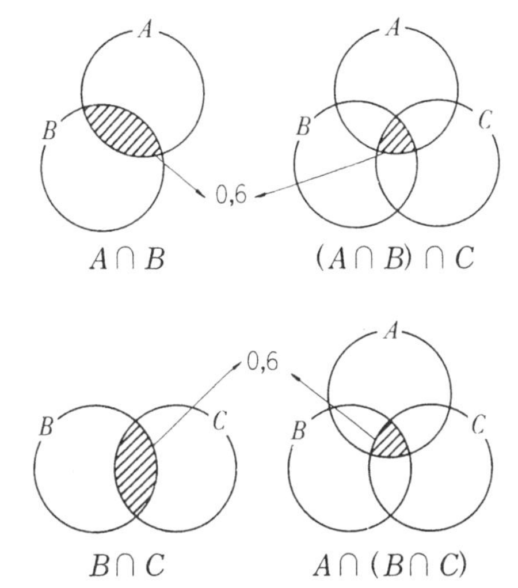

$A\cap B$　$(A\cap B)\cap C$

$B\cap C$　$A\cap(B\cap C)$

〈P.69〉

1　①$A\cap B=\{2, 4, 6, 8, 10\}=A$

②$A\cup B=\{1, 2, 3, 4, 5, 6, 7, 8, 9, 10\}=B$

ベン図でかくと，次のような関係になっています。

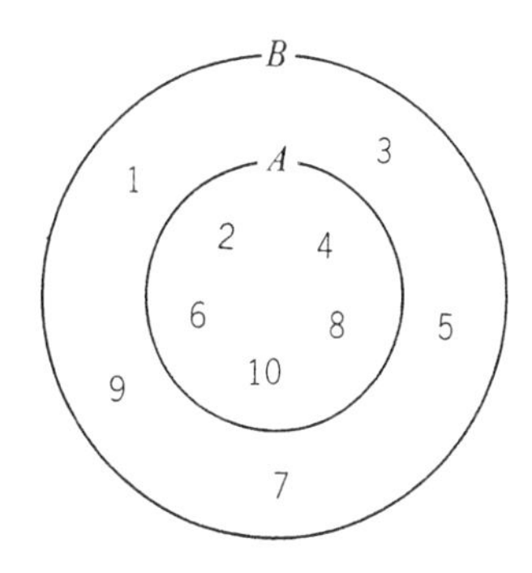

2.　$A=\{x\mid x$ は男の子のロボット$\}$

$B=\{y\mid y$ はロボット学園のロボット$\}$とすると，$A\subset B$, $A\cap B=A$がなりたちます。

3.　$A=\{x\mid x$ は100以下の10の倍数$\}$

$B=\{y\mid y$ は100以下の自然数$\}$とすると，

$A\subset B$, $A\cup B=B$がなりたちます。

〈P.71〉

①① $B\cup C=\{3, 4, 6, 8, 9, 12, 15, 16, 18, 20\}$

② $A\cap(B\cup C)=\{3, 4, 6, 8, 9, 12, 15, 16, 18, 20\}$

③ $A\cap B=\{3, 6, 9, 12, 15, 18\}$

④ $A\cap C=\{4, 8, 12, 16, 20\}$

⑤ $(A\cap B)\cup(A\cap C)=\{3, 4, 6, 8, 9, 12, 15, 16, 18, 20\}$

⑥ $A\cap(B\cup C)=(A\cap B)\cup(B\cap C)$

〈P.72〉

①

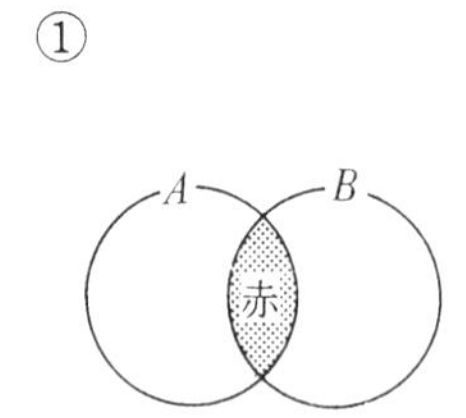

$A \cap B$

②

A
青
B
C

$A \cup B$

③

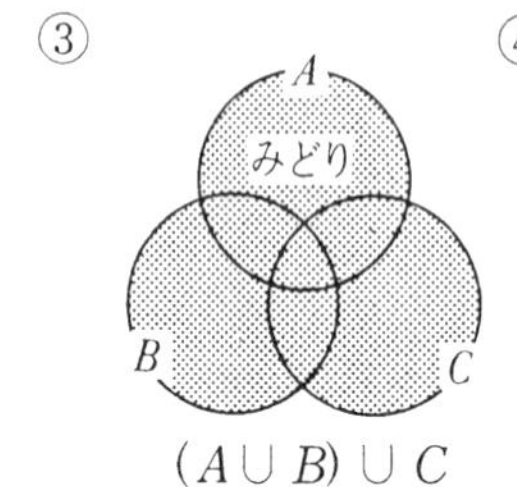

$(A \cup B) \cup C$

④

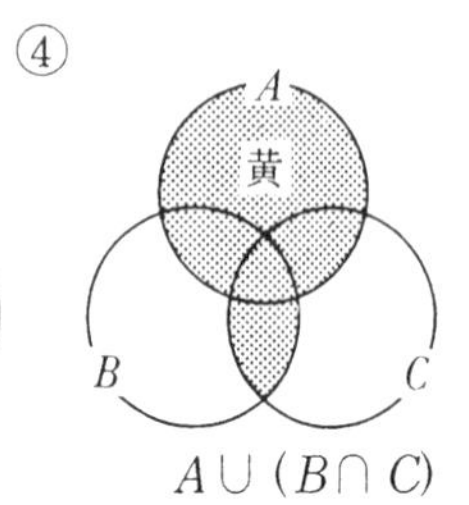

$A \cup (B \cap C)$

〈P.73〉

⑤

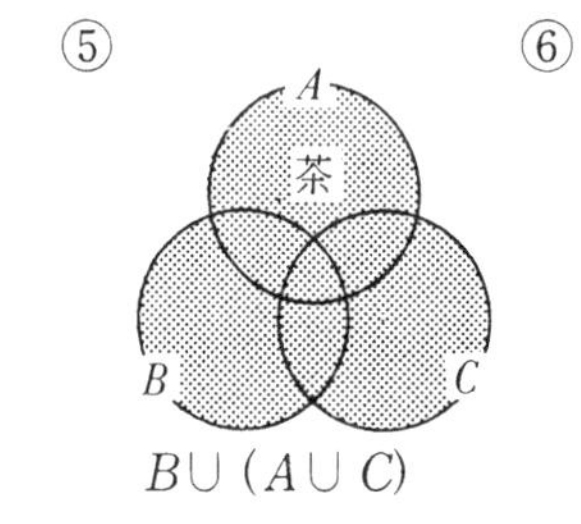

$B \cup (A \cup C)$

⑥

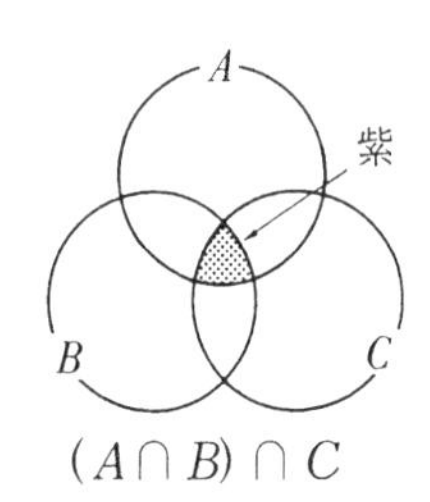

$(A \cap B) \cap C$

⑦

A
黒
B
C

$A \cap (B \cap C)$

⑧

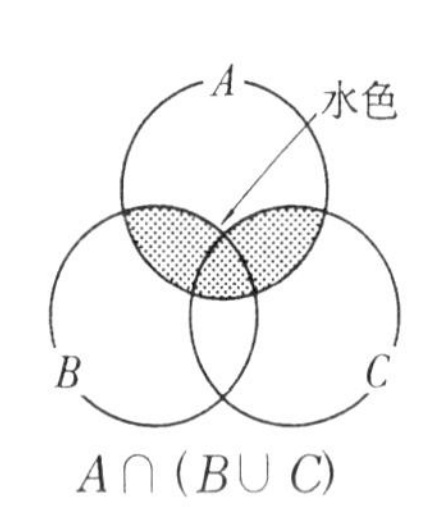

$A \cap (B \cup C)$

⑨

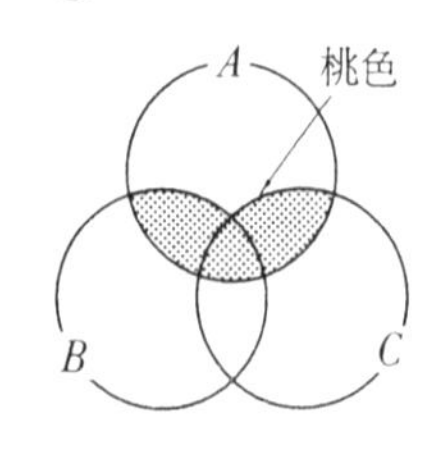

$(A \cap B) \cup (A \cap C)$

〈P.74〉

①

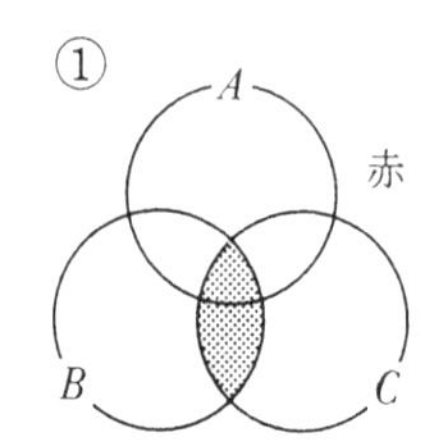

②

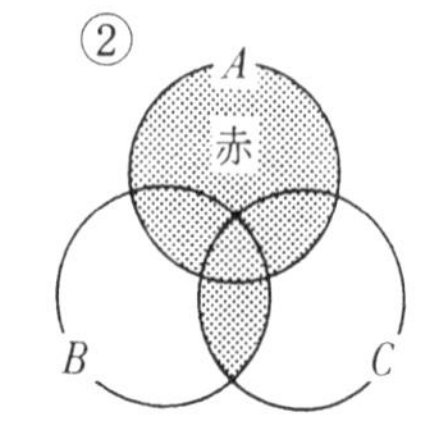

③

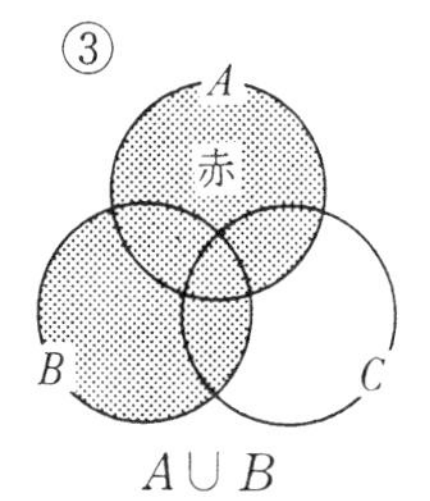

$A \cup B$

④

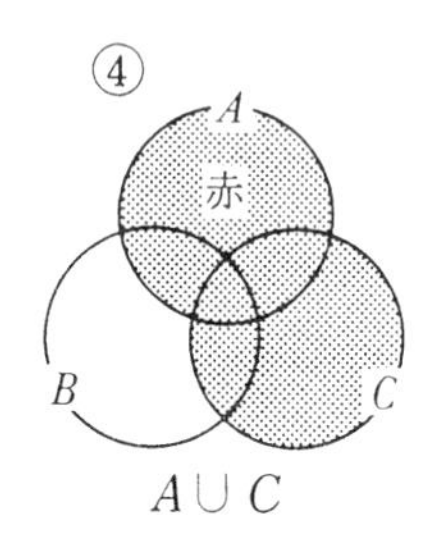

$A \cup C$

⑤

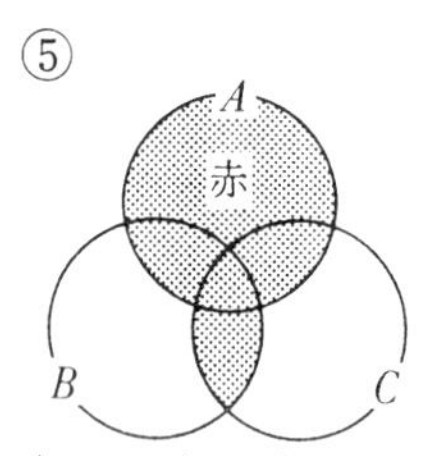

$(A \cup B) \cap (A \cup C)$

⑥ベン図より

$$A \cup (B \cap C) = (A \cup B) \cap (A \cup C)$$

補集合（P.77～P.83）

〈P.79〉

1．サッカーの解答は正しい。

2．$\overline{B} = \{1,\ 2,\ 4,\ 5,\ 7,\ 8,\ 10\}$

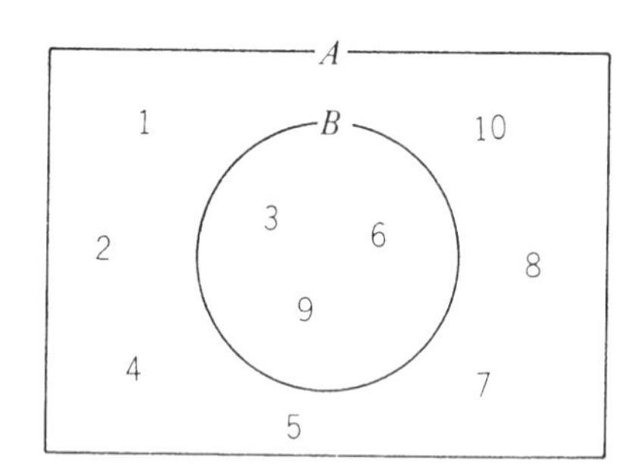

3．クラスの女の生徒の集合。

4．

①

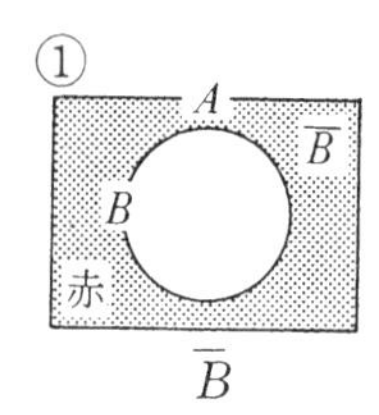

$\overline{B}$

②

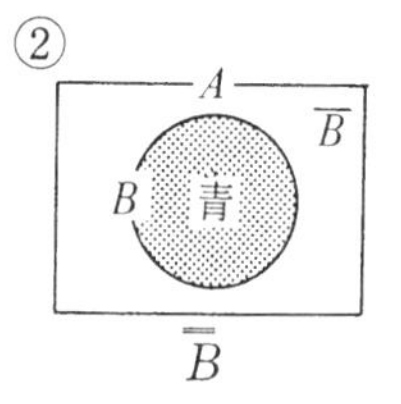

$\overline{\overline{B}}$

③

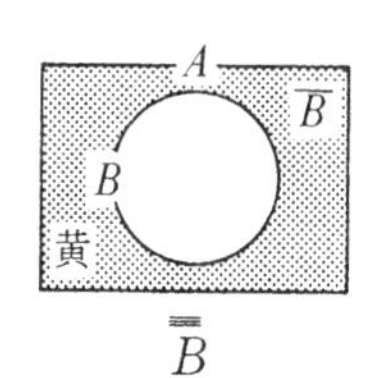

$\overline{\overline{\overline{B}}}$

〈P.83〉

①　②

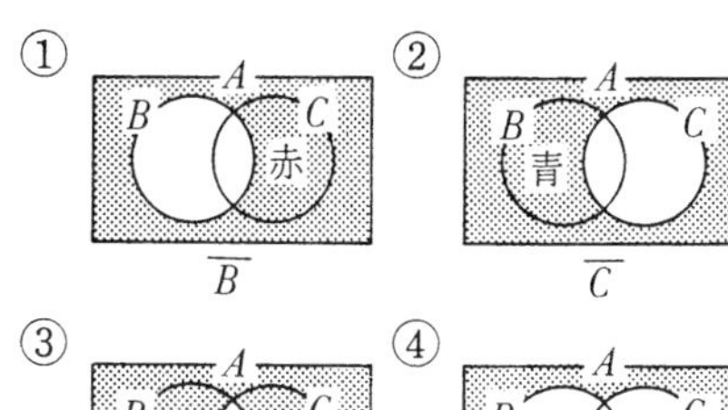

$\overline{B}$　　$\overline{C}$

③　④

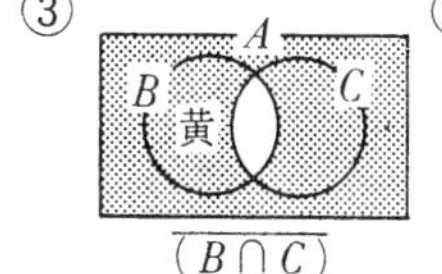

$\overline{(B\cap C)}$

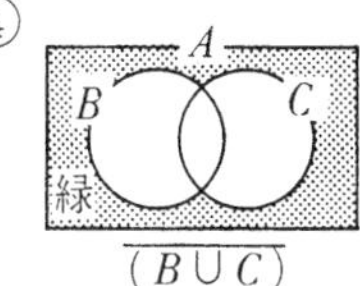

$\overline{(B\cup C)}$

⑤　⑥

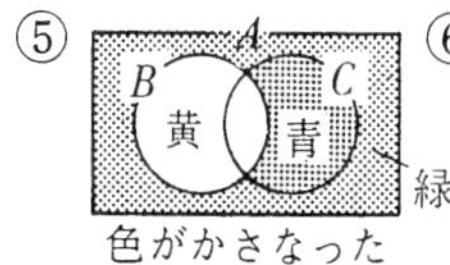

色がかさなった部分は$(\overline{B}\cap\overline{C})$。

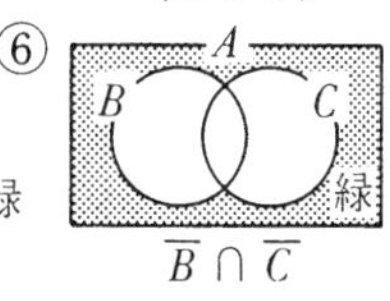

$\overline{B}\cap\overline{C}$

⑦

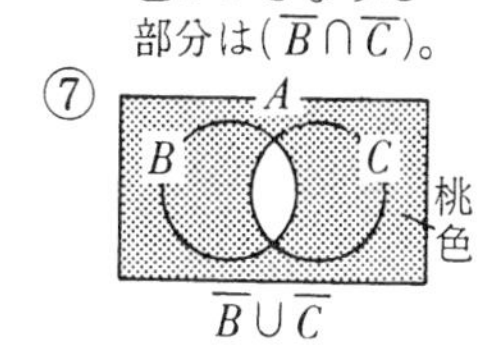

$\overline{B}\cup\overline{C}$

⑧(イ)$\overline{(B\cap C)}=\{1, 2, 3, 5, 6, 8, 9, 10\}$

$\overline{B}\cup\overline{C}=\{1, 3, 5, 6, 8, 9\}\cup\{1, 2, 3, 5, 6, 10\}=\{1, 2, 3, 5, 6, 8, 9, 10\}$

$\overline{(B\cap C)}=\overline{B}\cup\overline{C}$

(ロ)$\overline{(B\cup C)}=\{1, 3, 5, 6\}$

$\overline{B}\cap\overline{C}=\{1, 3, 5, 6, 8, 9\}\cap\{1, 2, 3, 5, 6, 10\}=\{1, 3, 5, 6\}$

$\overline{(B\cup C)}=\overline{B}\cap\overline{C}$

ベン図にかくと,

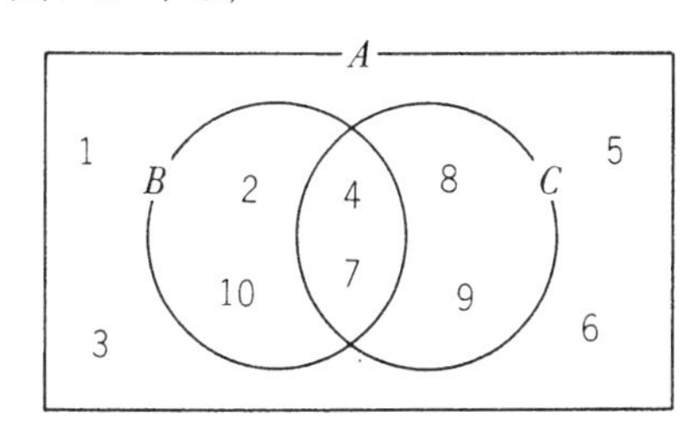

要素の個数（P.85～P.99）

〈P.86〉

(1)$n(A)=4$ (2)$n(B)=5$ (3)$n(C)=7$ (4)$n(D)=13$

〈P.89〉

1.　$34+29-20=43$　　43人

2.　$32+26-23+3=38$　　38人

3.　$n(A\cap B)=n(A)+n(B)-n(A\cup B)$

$=12+9-16=5$　　5人

4.　$n(A)=n(A\cup B)+n(A\cap B)-n(B)$

$=38+19-36=21$　　21人

〈P.91〉

①あるクラスで，めがねをかけている人が8人，むし歯のある人が35人，めがねをかけていて，むし歯のある人が6人。めがねもかけていなくて，むし歯のない生徒がひとりもいないとしたら，このクラスの人数は何人？

②子どもが20人います。おやつにチョコレートをもらった子どもが13人，あめ玉をもらった子どもが16人。何ももらわなかった子どもがいないとしたら，両方もらった人は何人？

③全員で35人のクラスがあります。給食のときにパンが好きな生徒が28人，パンとごはんの両方が好きな生徒が17人。給食の主食はパンかごはんのどちらかです。ごはんの方が好きな生徒は何人でしょう。

〈P.98〉

1.　①，④，⑤(無限集合になります。)

2.　①$A=\{2, 4, 6, 8, 10\}$

②$B=${さる，かに，うす，はち，くり}

3.　①$A=\{x\,|\,x$は20以下の4の倍数$\}$

②$B=\{y\,|\,y$は3でわって，あまりが1にな

る20以下で4以上の自然数｝

4.　$A \ni 3$，$8 \in A$，$A \ni 5$

5.　$A = \{\ \ \}$，$A = \phi$，$A = \{\ \ \} = \phi$

〈P.99〉

6.　$\{a, b, c\}$，$\{a, b\}$，$\{b, c\}$，$\{a, c\}$，$\{a\}$，$\{b\}$，$\{c\}$，$\{\ \}$

7.

①$A \cap B$　　②$A \cup B$

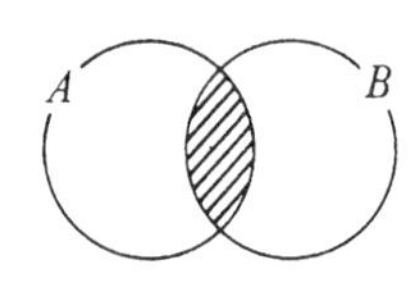

③$A \cap (B \cup C)$

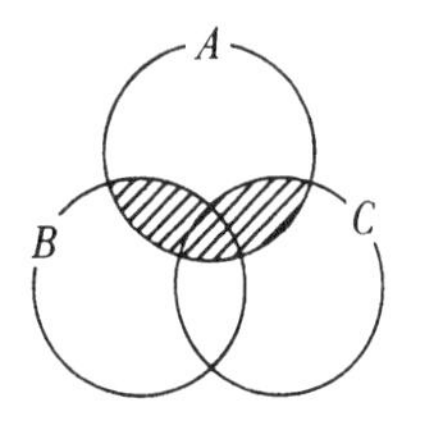

8.

①$\overline{\overline{B \cup C}}$　　②$\overline{\overline{B} \cap \overline{C}}$

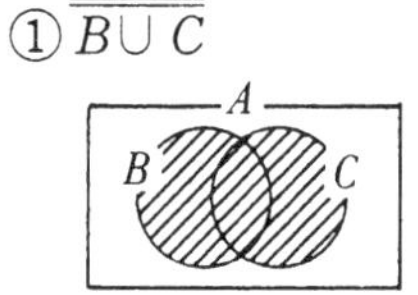

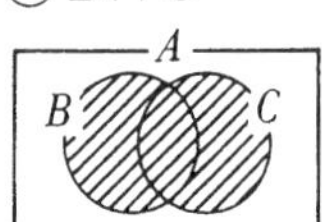

③$\overline{\overline{B} \cup C}$

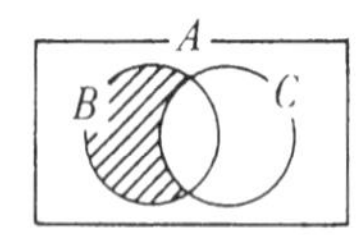

9.　集合A：鉄棒がとくいな人，集合B：ドッジボールがとくいな人，集合C：ソフトボールがとくいな人。A，B，Cをベン図であらわし，それぞれの人数を書きこむと次のようになります。

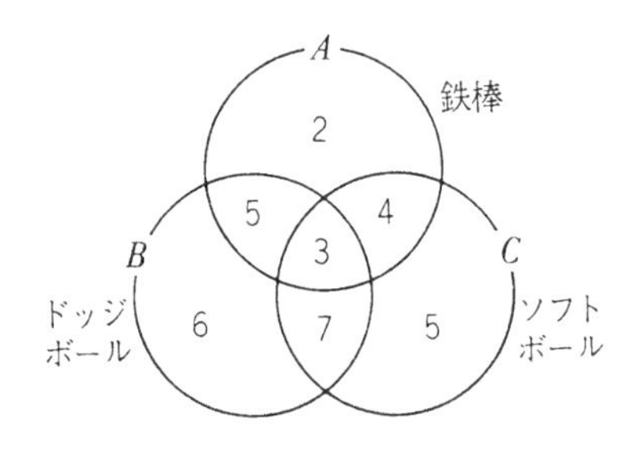

① 2人

② 6人

③ 5人

④ $14 + 21 + 19 - 8 - 7 - 10 + 3 = 32$

　$39 - 32 = 7$　　7人

樹型（P.102～P.119）※樹形ともいいます。

〈P.107〉

$2^4 = 16$　　16通り

〈P.109〉

1.　できる3位数の数は$2 \times 4 \times 3 = 24$　24

2.　$3 \times 5 = 15$　　15通り

〈P.111〉

1.　$5^2 = 25$　　25通り

2.　$9^4 = 6561$　　6561通り

〈P.113〉

$9 \times 8 \times 7 = 504$　　504通り

〈P.115〉

1.　$6 \times 5 \div 2 = 15$　　15本

2.　$8 \times 7 \div 2 = 28$　　28本

3.　$8 \times 7 = 56$　　56回（あいさつはおたがいにしあうから，2でわる必要はありません。）

4.　$4 \times 3 = 12$　　12試合（どのチームとも2回ずつ試合をするので，2でわる必要はありません。

〈P.117〉

1. (1)5試合 (2)15試合

2. 12×11÷2＝66　66本

〈P.119〉

1.

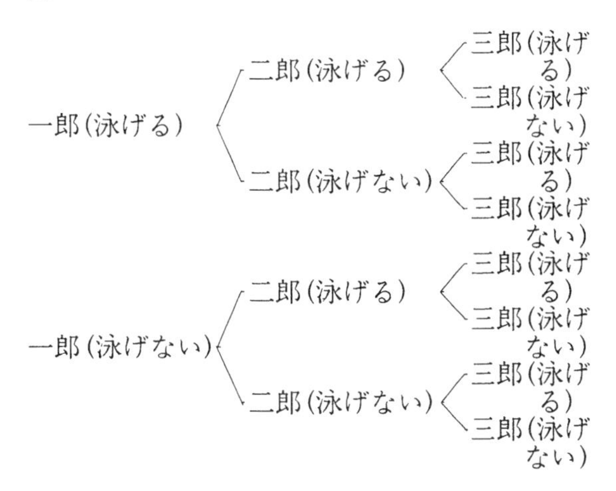

全部で$2^3=8$。 8通り

2. $\{a, b, c, d\}$, $\{a, b, c\}$, $\{b, c, d\}$, $\{a, c, d\}$, $\{a, b, d\}$, $\{a, b\}$, $\{b, c\}$, $\{c, d\}$, $\{a, d\}$, $\{b, d\}$, $\{a, c\}$, $\{a\}$, $\{b\}$, $\{c\}$, $\{d\}$, $\{\ \}$

3. $A=\{3, 6, 9\}$, $m=3$となります。
部分集合は$\{3, 6, 9\}$, $\{3, 6\}$, $\{6, 9\}$, $\{3, 9\}$, $\{3\}$, $\{6\}$, $\{9\}$, $\{\ \}$の8個。
$8=2^3$となるので, 部分集合の数は2^m個であらわされます。

4. 4通り(4人の外野手をa, b, c, dとすると, 選び方は$\{a, b, c\}$, $\{a, b, d\}$, $\{a, c, d\}$, $\{b, c, d\}$)

5. 120通り(5×4×3×2×1＝120)

6. 362880通り(9×8×7×6×4×3×2×1＝362880)

7. 120通り

8. トーナメントでは23試合, リーグ戦では276試合。

集合のかけ算(P.120～P.125)

〈P.125〉

$$n(A\times B)=n(A)\times n(B)$$
$$=4\times 4$$
$$=16$$

四丁目	東四丁目	西四丁目	南四丁目	北四丁目
三丁目	東三丁目	西三丁目	南三丁目	北三丁目
二丁目	東二丁目	西二丁目	南二丁目	北二丁目
一丁目	東一丁目	西一丁目	南一丁目	北一丁目
B / A	東	西	南	北

第９巻 数は魔術師

〈解答〉

<P. 3>

1111111111

<P. 5>

12345679012222222222220987654321

自然数（P.12～P.25）

〈P.19〉

1． 15→1111，12→1100，34→100010，27→11011
113→1110001，9→1001，81→1010001，
68→1000100

2． 1111→15，1010→10，1000→8，1111001→121
110011→51，101010→42，10000000→128，
10011100→156，100011→35

〈P.21〉

1． ㋑100011，7×5＝35
㋺1101110，11×10＝110
㋩1011011100，12×61＝732
㊁10011101100，42×30＝1260

2． ㋑11×111＝10101　㋺101×110＝11110
㋩1000×10＝10000　㊁1001×1＝1001
㋭100×0＝0　㋬0×0＝0

3． ㋑101，15÷3＝5　㋺101，10÷2＝5
㋩10100あまり10，102÷5＝20あまり2
㊁111，63÷9＝7

4． ㋑1100÷11＝100　㋺10010÷110＝11
㋩11001÷101＝101　㊁1001÷1＝1001
㋭11000÷10＝1100
㋬10101÷100＝101あまり1

〈P.24〉

1． 324→400，801→1080，2936→4022，999→1330

2． 2進法　1010100110　3進法　221010
4進法　22212　5進法　10203　7進法　1656

〈P.25〉

1． ㋑15，30，94，944　㋺61，77，641，1480
㋩11，13，57，99　㊁22，15，38，566
㋭7，3，19，33

2． 105個

3． ㋑1168　㋺566

正の数，負の数（P.26～P.57）

〈P.31〉

1． プラス4　マイナス6　プラス0.3
マイナス$\frac{2}{3}$　プラス50

2． D　B　C A
−6−5−4−3−2−1 0 1 2 3 4 5 6

〈P.32〉

1． 3，2，1.3，18，$\frac{1}{3}$

2． −4，＋7，＋0.3，−1.2，−0.1

〈P.33〉

1． $+5>+1$　$-100<-10$　$0.1>0$　$0.2>-5$
$-10<+5$　$-0.1>-1$

2． $-2<0.1$　$-0.08>-0.1$　$-4\frac{1}{2}>-5$
$-1<-\frac{1}{1000}$

〈P.38〉

1． $(+2)+(+3)=+5$
$(-4)+(-5)=-9$
$(-4)+(+1)=-3$
$(+3)+(-2)+(+5)=+6$
$(-5)+(+4)+(0)=-1$

2． サッカーは$(+5)+(-4)+(-4)+(-3)$
$+(-2)=-8$

ピカットは(＋2)＋(＋4)＋(−5)＋(＋1)＋(0)＋(0)＝＋2

マクロは(＋5)＋(＋4)＋(＋1)＋(−1)＋(＋3)＋(＋3)＋0＝＋15

ユカリは(0)＋(−5)＋(−3)＋(−2)＋(−1)＋(＋2)＝−9

だから，マクロがトップです。

〈P.39〉

3. ピカット　(式)(0)＋(−5)＋(＋1)＋(＋2)＋(＋4)＋(−3)＝−1

(＋4)をとられて，(−1)−(＋4)＝−5

グーグー　(式)(−1)＋(−2)＋(0)＋(−4)＋(＋2)＋(＋3)＝−2

(＋4)をとってきて，(−2)＋(＋4)＝＋2

(＋3)をとられて，(＋2)−(＋3)＝−1

サッカー　(式)(＋1)＋(＋5)＋(0)＋(0)＋(−5)＋(−3)＝−2

(＋3)をとってきて，(−2)＋(＋3)＝＋1

(0)をとられて，(＋1)−(0)＝＋1

ユカリ　(式)(＋5)＋(＋4)＋(−2)＋(＋3)＋(−4)＋(−1)＝＋5

(0)をとってきて，(＋5)＋(0)＝＋5

(−2)をとられて，(＋5)−(−2)＝＋7

ピカット　(式)(0)＋(−5)　＋(＋1)＋(＋2)＋(−3)＝−5

(−2)をとってきて，(−5)＋(−2)＝−7

〈P.40〉

4. ㋑＋5　㋺−7　㋩＋9　㊁−10　㋭＋8

㋬−6　㋣＋12　㋠−13　㋷＋21　㋦−14

5. ㋑＋2　㋺＋1　㋩−2　㊁−2　㋭0　㋬0

㋣0　㋠−3　㋷＋5　㋦＋1

6. ㋑＋4　㋺＋8　㋩＋6　㊁＋5　㋭−26　㋬＋9

㋣＋5　㋠＋12　㋷−8　㋦−15　㋸0　㋾＋10

7. ㋑(＋3)＋(−8)＋(＋4)＝−1

㋺(−7)＋(＋2)＋(−3)＝−8

㋩(−9)＋(−7)＋(−8)＝−24

㊁(−5)＋(−3)＋(＋4)＋(＋2)＋(−1)＋0＝−3

㋭0＋(＋1)＋(＋2)＋(−1)＋(−2)＝0

㋬(−10)＋(−8)＋(−6)＋(−4)＋(＋3)＋(＋2)＋(＋1)＝−22

㋣(＋23)＋(＋18)＋(−16)＋(−27)＝−2

㋠(−126)＋(−273)＋(＋369)＝−30

㋷(＋600)＋(−780)＋(−8)＋0＝−188

〈P.48〉

1. ㋑−10　㋺−10　㋩＋21　㊁＋32　㋭$+\frac{4}{15}$

㋬−3　㋣＋8　㋠$-\frac{2}{3}$

2. ㋑0　㋺0　㋩0　㊁0

〈P.52〉

1. $+\frac{7}{4}$，$-\frac{3}{5}$，−7，$+\frac{1}{10}$，$-\frac{1}{3}$，−1

2. ㋑$+\frac{3}{14}$　㋺$+\frac{4}{9}$　㋩$-\frac{2}{3}$　㊁$+\frac{5}{7}$　㋭$-1\frac{1}{3}$

㋬$-\frac{7}{15}$　㋣＋6　㋠−6　㋷$+\frac{1}{3}$

〈P.53〉

1. ㋑$+\frac{1}{6}$　㋺$-\frac{1}{9}$　㋩$\frac{7}{10}$　㊁0

2. ㋑−6　㋺−7　㋩−8　㊁$+\frac{61}{63}$　㋭$+2\frac{5}{6}$

〈P.55〉

1. ㋑$x=-2$　㋺$x=-\frac{4}{5}$　㋩$x=\frac{1}{4}$　㊁$x=\frac{1}{3}$

ホ $x=\frac{16}{3}$　ヘ $x=2$　ト $x=-\frac{7}{5}$　チ $x=\frac{4}{3}$

リ $x=3$　ヌ $x=-10$　ル $x=9$　ヲ $x=-\frac{28}{3}$

ワ $x=-8$　カ $x=\frac{49}{13}$　ヨ $x=-8$　タ $x=7\frac{43}{51}$

2．イ $\begin{cases} x=-3 \\ y=-2 \end{cases}$　ロ $\begin{cases} x=2 \\ y=-1 \end{cases}$　ハ $\begin{cases} x=-3 \\ y=1 \end{cases}$

ニ $\begin{cases} x=-1 \\ y=2 \end{cases}$　ホ $\begin{cases} x=3 \\ y=-2 \end{cases}$

約数と倍数（P.64）　（P.58～P.65）

〈P.64〉

1．イ2，1　ロ3，1　ハ6，3，2，1　ニ12，6，4，3，2，1　ホ1　ヘ36，18，12，9，6，4，3，2，1

2．イ(72，36)＝36　ロ(64，96)＝32
ハ(65，91)＝13　ニ(23，125)＝1
ホ(92，132)＝4　ヘ(124，674)＝2

3．イ(8，6，12)＝2　ロ(15，30，45)＝15
ハ(24，18，36)＝6　ニ(30，48，66)＝6

4．イ40，80，120　ロ56，112，168　ハ66，132，198　ニ45，90，135

5．イ〔10，12〕＝60　ロ〔16，28〕＝112
ハ〔6，14〕＝42　ニ〔9，21〕＝63
ホ〔15，50〕＝150　ヘ〔68，72〕＝1224
ト〔77，21〕＝231　チ〔16，76〕＝304

素数（P.66～P.80）

<P.72>

23，29，31，37，41，43，47，53，59，61，67，71，73，79，83，89，97

※7までの素数の倍数を消すと，100以下の素数が全部みつかります。

〈P.75〉

101, 103, 107, 109, 113, 127, 131, 137, 139, 149, 151, 157, 163, 167, 173, 179, 181, 191, 193, 197, 199

307, 311, 313, 317, 331, 337, 347, 349, 353, 359, 367, 373, 379, 383, 389, 397

※31までの素数の倍数を消すと，1000以下の素数がみつかります。

〈P.77〉

1．イ 3^5　ロ 5^3　ハ 7^4　ニ 10^4

2．$2^3=8$　$4^5=1024$　$6^2=36$　$7^4=2401$
$2^2\times3^2=36$　$3\times5^3=375$　$0\times10^2=0$
$1\times7^3=343$　$4^3\times8^2=4096$

3．$16=2^4$　$18=2\times3^2$　$81=3^4$　$625=5^4$
$32=2^5$　$64=2^6$　$72=2^3\times3^2$　$125=5^3$
$360=2^3\times3^2\times5$　$343=7^3$

〈P.80〉

1．イ(24，36)＝12　ロ(60，84)＝12
ハ(36，72)＝36　ニ(40，60)＝20
ホ(45，27)＝9　ヘ(70，84)＝14
ト(15，90)＝15　チ(50，30)＝10
リ(10，50，40)＝10　ヌ(12，14，15)＝1
ル(45，50，70)＝5　ヲ(49，28，35)＝7

2．イ〔4，6〕＝12　ロ〔8，18〕＝72
ハ〔20，80〕＝80　ニ〔28，49〕＝196
ホ〔27，28，30〕＝3780　ヘ〔12，18，24〕＝72
ト〔6，9，18〕＝18　チ〔45，50，70〕＝3150

去年の今日に何曜日？（P.81～P.93）

<P.82> 1972年3月1日は水曜日です。

〈P.88〉

1．イ金曜日　ロ水曜日　ハ月曜日　ニ水曜日
ホ月曜日

2．イ金曜日　ロ水曜日　ハ月曜日　ニ木曜日
ホ木曜日　ヘ日曜日　ト火曜日

3．*A*スキヤキ　*B*アンパン　*C*ラーメン
*D*アンパン　*E*スキヤキ　*F*キツネソバ

<P.89>

③わりきれない　あまりは5

④わりきれない　あまりは4

⑤わりきれる

⑥わりきれない　あまりは6

⑦わりきれない　あまりは8

⑧わりきれない　あまりは1

<P.93>

1．㋑わりきれる　㋺ {わりきれない あまりは6}

㋩ {わりきれない あまりは8}　㋥わりきれる

㋭ {わりきれない あまりは3}　㋬ {わりきれない あまりは7}

㋣わりきれる　㋠わりきれる

2．㋑正しい　㋺正しい　㋩まちがい　㋥まちがい

㋭まちがい　㋬正しい　㋣正しい　㋠まちがい

㋷まちがい　㋦正しい　㋸正しい

3．$7\boxed{4}88$，$1\boxed{4}094$，$59\boxed{8}29$，$5\boxed{6}214$，

$88\boxed{8}7112$，$9999999\boxed{1}8$，$1234\boxed{4}44321$

小数と分数（P.94～P.105）

<P.96>

1，$\frac{3}{7}=0.\dot{4}2857\dot{1}$　$\frac{4}{7}=0.\dot{5}7142\dot{8}$　$\frac{5}{7}=0.\dot{7}1428\dot{5}$

$\frac{6}{7}=0.\dot{8}5714\dot{2}$　$\frac{22}{7}=3.\dot{1}4285\dot{7}$　$\frac{1}{9}=0.\dot{1}$　$\frac{2}{9}=0.\dot{2}$

$\frac{4}{9}=0.\dot{4}$　$\frac{5}{9}=0.\dot{5}$　$\frac{7}{9}=0.\dot{7}$　$\frac{1}{4}=0.25$　$\frac{3}{4}=0.75$

$\frac{5}{4}=1.25$　$\frac{7}{4}=1.75$　$\frac{9}{4}=2.25$　$\frac{1}{6}=0.1\dot{6}$

$\frac{5}{6}=0.8\dot{3}$　$\frac{7}{6}=1.1\dot{6}$　$\frac{13}{6}=2.1\dot{6}$　$\frac{11}{6}=1.8\dot{3}$

$\frac{4}{3}=1.\dot{3}$　$\frac{5}{3}=1.\dot{6}$　$\frac{7}{3}=2.\dot{3}$　$\frac{8}{3}=2.\dot{6}$　$\frac{10}{3}=3.\dot{3}$

$\frac{1}{10}=0.1$　$\frac{1}{11}=0.\dot{0}\dot{9}$　$\frac{1}{12}=0.08\dot{3}$　$\frac{1}{13}=0.\dot{0}7692\dot{3}$

$\frac{1}{14}=0.0\dot{7}1428\dot{5}$　$\frac{1}{15}=0.0\dot{6}$　$\frac{1}{16}=0.0625$

$\frac{1}{17}=0.\dot{0}58823529411764\dot{7}$　$\frac{1}{18}=0.0\dot{5}$

$\frac{1}{19}=0.\dot{0}5263157894736842\dot{1}$　$\frac{3}{25}=0.12$

$\frac{3}{32}=0.09375$　$\frac{10}{99}=0.\dot{1}\dot{0}$　$\frac{1}{100}=0.01$

$\frac{9}{64}=0.140625$　$\frac{41}{43}=0.\dot{9}5348837209302325581\dot{3}$

$\frac{7}{60}=0.11\dot{6}$　$\frac{22}{9}=2.\dot{4}$

$\frac{355}{113}=3.\dot{1}415929203539823008849557522123893$

$805309734513274336283185840707964601769$9

$11504424778761061946902654867256637168\dot{}$

$\frac{22}{5}=4.4$　$\frac{101}{103}=0.\dot{9}80582524271844660194174757281553\dot{3}$　$\frac{11}{70}=0.1\dot{5}71428\dot{}$　$\frac{19}{81}=0.\dot{2}3456790\dot{1}$

$\frac{1}{1000}=0.001$　$\frac{100}{19}=5.\dot{2}63157894736842105\dot{}$

<P.99>

1．㋑$\frac{7}{10}$　㋺$\frac{3}{20}$　㋩$1\frac{1}{50}$　㋥$\frac{1}{125}$　㋭$2\frac{3}{10}$　㋬$4\frac{9}{100}$

㋣$3\frac{3}{250}$　㋠$13\frac{19}{50}$　㋷$10\frac{1}{500}$　㋦$9\frac{4999}{5000}$　㋸$136\frac{1}{10}$

㋾0.75　㋻$6.\dot{1}4285\dot{7}$　㋕0.875　㋵$0.\dot{6}$

㋟$1.\dot{2}8571\dot{4}$　㋹$0.\dot{7}05882352941176\dot{4}$　㋞$0.\dot{0}1298\dot{7}$

2．㋑$\frac{1}{9}$　㋺$\frac{53}{300}$　㋩$0.\dot{5}=\frac{5}{9}$　㋥$\frac{11}{6}$　㋭$\frac{24682}{99999}$

㋬$\frac{6}{11}$　㋣$\frac{218}{333}$　㋠$\frac{100}{111}$

第10巻 数と形のクイズ

〈解答〉

※この巻は本の後半にクイズの答えがでていますが，一部省略されているところがありますので，ここではその箇所を補っています。

<P.11> 問題5

$$\begin{array}{r} \boxed{7}84562 \\ -\ 8\boxed{7}1\boxed{8}3 \\ \hline 6\boxed{9}7\boxed{3}7\boxed{9} \end{array}$$

$$\begin{array}{r} 97\boxed{5} \\ \times)\ \boxed{1}8 \\ \hline \boxed{7}\boxed{8}\boxed{0}0 \\ 9\boxed{7}\boxed{5} \\ \hline 175\boxed{5}0 \end{array}$$

$$\begin{array}{r} \boxed{1}3 \\ \boxed{7}\boxed{3}\,\overline{)\,949} \\ \boxed{7}\boxed{3} \\ \hline \boxed{2}\boxed{1}9 \\ \boxed{2}\boxed{1}9 \\ \hline \boxed{0} \end{array}$$

<P.16> 問題10

$$\begin{array}{r} 1\boxed{4}\boxed{2}\boxed{8}57 \\ -\qquad\qquad 3 \\ \hline \boxed{4}\boxed{2}\boxed{8}571 \end{array}$$

<P.19> 問題13

② $98\boxed{-}76\boxed{+}54\boxed{+}3\boxed{+}21=100$

③ $9\boxed{-}8\boxed{+}76\boxed{-}5\boxed{+}4\boxed{+}3\boxed{+}21=100$

<P.30> 問題22

$$\begin{array}{r} 2157 \\ \boxed{6}\boxed{5}\boxed{6}\boxed{0} \\ +\ \ 1625 \\ \hline 10342 \end{array}$$

$$\begin{array}{r} \boxed{4}2\boxed{8} \\ 8\,\overline{)\,3\boxed{4}24} \end{array}$$

$$\begin{array}{r} \boxed{2}\boxed{1}7\boxed{5}4\boxed{3} \\ \times\qquad\quad 7 \\ \hline 1\boxed{5}2\boxed{2}8\boxed{0}1 \end{array}$$

$$\begin{array}{r} \boxed{2}74 \\ 31\boxed{9}\,\overline{)\,\boxed{8}\boxed{7}\boxed{6}\boxed{2}\boxed{4}} \\ 63\boxed{8} \\ \hline \boxed{2}\boxed{3}\boxed{8}\boxed{2} \\ \boxed{2}\boxed{2}\boxed{3}\boxed{3} \\ \hline \boxed{1}\boxed{4}\boxed{9}\boxed{4} \\ \boxed{1}\boxed{2}\boxed{7}\boxed{6} \\ \hline \boxed{2}18 \end{array}$$

<P.39> 問題30

30kmを馬が２頭歩くから，30×2＝60で60km。

60km÷3＝20kmで，ひとり20km馬に乗り，10km歩く。下の図は1例を示しました。

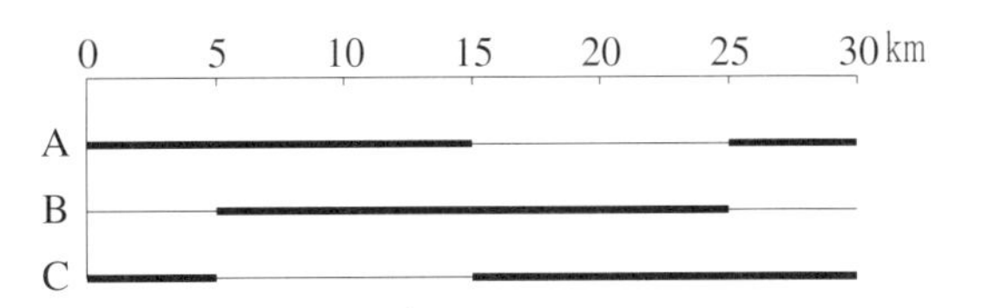

<P.43> 問題33

```
            1011.1008
     ________________
625 ) 631938
      625
      -----
        693
        625
        -----
         688
         625
         -----
          630
          625
          -------
            5000
            5000
            ----
               0
```